反日種族の常識

Moon Jae-in

室谷克実 Murotani Katsumi

飛鳥新社

まえがき

反日種族＝現代韓国人の常態を、さまざまな角度から切り、その断面を解析した結果が、この本の内容である。

いわば反日種族のCT分析だ。MRI分析に至らないのは、筆者の力不足による。それでも、読者の多くは、これまで日本ではほとんど伝えられていなかった反日種族の常態（思考の仕方と行動）を知り、反日種族がいま形づくっている韓国という国家に対する認識レベルを高めるだろう。

もっとも日本には「反日日本人」とでも呼ぶべき不可解な人々がいる。

彼らは、こと韓国となると、事実を知ることによる日本人の知的利益向上よりも〝情弱《じょうじゃく》の時代〟に捏造《ねつぞう》された「良い国＝韓国」のイメージを守ろうと必死になる。

新聞社のソウル特派員を務めた人のなかからも「韓国に関しては、事実であっても書いてはいけないことがある」といった声が聞こえてくる。

彼らの言動を追えば、「日韓は隣国だから、日韓関係は良好な状態でなくてはならない」という命題があることが分かる。

しかし、世界のどこを見ても、「仲の良い隣国関係」など、ほとんど存在しない。彼らの多くは「隣国だから……」と言いつつ、台湾との関係となると興味すら示さない。「日韓は隣国だから……」とは、日本人が事実を知ることで得る利益よりも、知らせないことで韓国の利益に奉仕しようとする病的なアンチ知性主義の主張に正当性を装うための誤魔化しの言葉に過ぎないのだ。

しかし、彼らの努力にもかかわらず、反日種族の思考の仕方と行動がどんなものであるかは、ネット（韓国メディアの日本語サイト、韓国語サイトの記事を翻訳して紹介する日本のサイトなど）を通じて、どんどん入ってくる。

そうした状況に、なかば絶望した病的親韓派の悲鳴が「ヘイトだ！」なのではなかろうか。

韓国メディアが伝えるところや、韓国の公式統計を引用した内容ですら、彼らは見境なく「ヘイトだ！」と叫ぶ。まさしく「事実であっても日本人が知ると嫌韓を助長する内容」

を論述することは、彼らが言う「ヘイト」なのだ。

そういえば、レッテル貼りによる非難は、反日種族の得意技だ。旭日旗《きょくじつき》を「戦犯旗」と言い換え、政敵を「積弊《せきへい》」と呼ぶことで、思考の暇を与えずに「悪いものに決まっている」と思い込ませる手法だ。

反日日本人が使う「ヘイト」という用語も、それに類する。

ところが、日本には在日韓国人ら数人の文筆家が「ヘイトだ！」と言っただけで、慌てて謝罪するような大手出版社もある。なぜ「事実を書いてどこが悪い」と言い返せないのだろうか。

幸い、この本の出版社は、そんな腰抜けではない。だから、反日種族の常態を「事実は事実」の姿勢を曲げずに書けた。

この本が、日本人の対韓理解の一助になることを願う。

令和2年1月　　　　　　　　　　　　　　室谷克実

反日種族の常識

目次

1の常識

今も奴隷がいる

知的障害者を「塩田奴隷」として酷使

「うちはモンゴルの岩塩を使っているの」――居酒屋で、後ろのテーブル席にいる4人の老女の話が聞こえてきた。

「うちは断然、韓国のよ」と、もう1人の老女。

「韓国の天日塩って、体に良いって本当なの?」と別の老女。

翌日、高級食材専門のスーパーに行ってみたら、ハングルで名が書かれた韓国産の天日塩が並んでいた。日本産の高級天日塩に比べたら、はるかに安い。この値段なら買う人がずいぶんいるのだろう。

が、私は言いたい。

「韓国の天日塩とは〝悪魔の食材〟だ。食べてはいけない。買ってもいけない」と。

2つの理由がある。

まず、塩田《えんでん》の蒸発池で農薬を使っている疑いが濃厚なことだ。韓国・世界日報が2011年8月16日、全羅南道《チヨルラナムド》の塩田で農薬が使われていることを特ダネ報道した。地元の塩製造業者は「事実無根」と猛反発し、農林水産食品省は同25日、「塩から農薬は検出されなかった」と発表した。

しかし、専門家は「検査方法に問題がある」と指摘した。今度は全羅南道と世界日報が共同で蒸発池の土壌を採取した。この時は、あちこちに転がっていた農薬の瓶《びん》がきれいになくなっていたと世界日報は伝えている。

採取した土壌は、国立農産物品質管理院で検査したところ、「農薬確認」となった。

残念ながら、この問題の続報は発見できない。農薬使用をやめたのか。いや、業者は初めから「使っていない」と言っているのだから、そのままなのか。ともかく、土壌に農薬成分がある蒸発池が使われている可能性が高いのだ。

〝悪魔の食材〟と言うべき、もっと大きな理由がある。全羅南道の塩田は、知的障害者を奴隷のように酷使して天日塩を生産していることだ。

俗に「塩田奴隷」と言う。その存在が韓国社会一般に知られたのは、14年2月6日のことだった。ソウルの警察署が、全羅南道の島で奴隷として働かされてきた知的障害者を5年2カ月ぶりに救出したと発表したからだ。

韓国中のマスコミが「いまは何世紀なのか」などの見出しを立てて大報道をした。「本物の奴隷」だったからだ。しかし、韓国マスコミの日本語サイトには、わずかな記事しかアップされなかった。

日本人には知られたくない事実だからだろう。日本の新聞では、私が夕刊フジに書いた記事（14年2月27日）、それを基に産経ＷＥＳＴがアップしたものだけのようだ。「まえがき」で述べたとおり、「韓国の悪い事実は日本に知らせてはならない」と自己規制する日本マスコミのソウル特派員が少なくないからだろう。

韓国メディアの報道をまとめると、こういうことだ。

奴隷商人は、ソウルの駅頭などで職を探している知的障害者を見付けると、「君を雇ってくれるところがある。ちゃんと飯も食わせてくれる」と声をかけ、全羅南道新安《シナン》郡の島に連れていく。

新安郡は半島の西南部。黄海に浮かぶ無数の島々からなる。

奴隷商人は大規模塩田の経営者に、その障害者を日本円にして10万〜30万円ほどで売る。

塩田の経営者は、まず奴隷が「自分はここで働くしかないのだ」と思い込むよう洗脳する。納屋《なや》にたたき込み、三度の粗末な食事と2日に1箱のタバコを与え、1日17時間は働かせる。夏場は塩田、冬場は養魚場や建設現場。春と秋は農作業。

逃げようとすると、スコップや鉄パイプで殴打のリンチだ。足の骨が折れたのに手当ても受けられないまま、片足切断の体で働かされていた奴隷もいた。

1人の奴隷が書いた「助けて」の手紙がようやく実家に届き、それが九老警察署に持ち込まれた。

ソウルの警察は、全羅南道の警察には何も知らせないまま、塩の仲買人を装《よそお》って島に渡り、内偵した。

警察が経営者に奴隷を引き渡す

警察庁長官は「地元警察と塩田経営者の癒着《ゆちゃく》」に言及した。

塩田奴隷の発覚から3年半後、ソウル地裁は国に対して、1人の塩田奴隷に350万円の賠償金を支払うよう命ずる判決を下した。

この奴隷は逃亡し、派出所に駆《か》け込み、「暴行を受けながら働かされている」と訴えた。すると警官は塩田経営者を呼び、奴隷を引き渡したのだ。

全羅南道の警察本部が塩田労働の実態調査に入ったのは、九老警察署の救出発表から12

日も経ってからだった。奴隷の雇い主に、奴隷を隠す時間を与えたようなものではないか。実際に、塩田から遠く離れた民家に閉じ込められていた奴隷がいた。が、彼らは「恐ろしい警察に連れていかれるぞ」と脅されて、指定された民家に入った。奴隷からすれば、閉じ込められていたのではなく、匿《かくま》われていたのだ。

彼らは警察の事情聴取に対して、「ちゃんと飯を食わせてもらっていた」「乱暴されたことはない」と同じ台詞《せりふ》を繰り返したという。

木浦《モッポ》雇用労働支庁は、新安郡一帯の塩田853カ所で労働者687人を調査した結果、72カ所の93人が「給料を貰わずに働いていた」と発表した。奴隷だったということだ。しかし、奴隷の1割以上は「ここにいたい」と言い張り、最終的にはほぼ半数が塩田に戻ってきた。

ある塩田の経営者は、「給料を払わなくていい」とする親からの念書を出してきた。

別の奴隷の親は、「どこかで死んだのだとも思い、（捜索願など）届け出をしなかった」と語った。きっと障害者扶養手当は、そのまま貰っていたのだろう。

奴隷を使っていた業者の非情さとともに、奴隷の家族、あるいは韓国社会全般の障害者に対する冷たさが浮かび上がってくる。

それはそうだ。〔4の常識〕で述べるが、先天性障害を抱えた赤ん坊をどんどん欧米の篤志家《とくしか》に売り込んで儲けている国なのだから。

給料を貰っていたという人々も、韓国型常識からすれば、過大に計算した住居費や食費を引かれて〝雀の涙〟だったと思われる。何しろ2018年8月時点でも勤労者の2割弱が法定最低賃金に満たない給料しかもらっていない（朝鮮日報19年12月2日）国柄《くにがら》なのだから。

検挙者は数十人に達したが、逮捕されたのは2人だった。

裁判で有罪と認定されたのは、大部分が「給与不払い」「最低賃金法違反」だけで、50万円程度の罰金で終わった。

そして、国の恥になるようなことはすぐに忘れることを特技とする国民は、半年もしたら塩田奴隷のことは語らなくなった。

事件発覚から3年半、中央日報（17年9月24日）は「雲の畑で塩を掘る」という見出しで新安郡の塩田の模様を報じた。風物詩的な暇ダネ記事だ。

「青い秋空が西海《ソヘ》（黄海）に落ちる夕陽を受け、次第に赤く染まっていく。塩田は鏡のように空を映し、どれが雲でどれが塩の花なのか識別し難い」と始まる写真付きの記事には、奴隷のドの字もない。

韓国産天日塩の大部分は、この新安郡で作られているのだ。

奴隷商人の罪科は「職業安定法違反」

新安郡で知的障害者が奴隷として働かされていることは、２００７年に一度報じられたことがある。

「４４３人を売り渡した『奴隷商人』」という見出しの東亜日報（07年4月21日）の記事だ。

求人広告を見て訪ねてきた知的障害者を騙すのだが、その手法がとても〝慰安婦大国〟らしい。

「障害者李某さん（25）に酒を飲ませ、売春婦と性関係を持たせたあと、その代金として５００万ウォンを請求し、李某さんがそれを払えないと、海老捕り漁船に売り渡した」と記事は伝えている。２年ほどの間に、奴隷商人は「４４３人を全羅南道新安郡と珍島《チンド》郡一帯の海老捕り漁船と養殖場に売り渡すなど、紹介費と借金の名目で10億ウォンあまりを懐に入れた」というのだ（以下、おおまかなところ1円＝10ウォン）。

警察や行政機関はなぜ、この時に新安郡と珍島郡一帯を調べなかったのだろうか。地域の警察官も、自治体の公務員も、地元の顔役である奴隷の雇い主とはズブズブの関係だからではないのか。東亜日報もまた、売られた奴隷たちがどうなったのかについては何の関心も持っていなかったように感じられる。

それにしても、443人もの人身売買をした奴隷商人の罪科が「職業安定法違反」だけだというのだから呆れるほかない。

知的障害者には、家族も地域も行政も冷たい。姿が見えなくなっても、だいたいは捜しもしないようだ。知的障害者を対象にした奴隷商人、知的障害者を自宅に連れ込み奴隷として使っていた人物が年に何件も摘発されるのは、刑罰の軽さとともに、障害者に冷たい社会が大前提としてあるのだ。

だから、知的障害者を養子として迎え入れ、生活をともにする牧師は「障害者の天使」と呼ばれ、テレビに何度も出演したのだろう。

この牧師は『薬草を掘る牧師の自伝的告白』というタイトルの本を出し、知的障害者に対する善行の大切さを説いたのだが、ある日、その化けの皮が剝がれた。

テレビが「障害者の天使」の素顔を伝え、国家人権委員会が調査した。

犯罪者に優しい国

言い忘れていた。非人道的行為が日常的に罷《まか》り通るこの国には、国家人権委員会という立派な名前の独立委員会があったのだ。

人権委は、この時は熱心に調査したようだ。

朝鮮日報と中央日報（ともに12年11月23日）の報道から、牧師の行為を抜粋しよう。

▽知的障害児養子縁組施設「愛の家」を運営し、40年間に21人の知的障害者を自分の養子にした。

▽障害者に支払われる年金や支援金を横領した。

▽サツマイモ掘りや木の伐採などで、長時間働かせた。

▽女性障害者を自ら入浴させたり、男性障害者と一緒に入浴させるなどワイセツ行為を日常的に行った。

▽普段は医者にかからせなかったが、いよいよ死にそうになると病院に入れた。２人が栄養失調の状態で死亡したが、牧師は遺体の引き取りを拒否した。病院は法律により勝手に

埋葬することもできず、2遺体を10年以上も冷凍庫に入れたままにしている。

▽（何の容疑かは不明だが）彼が9カ月勾留《こうりゅう》されていた間に、養子たちは逃走した。しかし6人を見つけ出し、今度は江原道《カンウォンド》の山中に移り住んだ。6人を掘っ立て小屋に押し込め、農作業などで長時間働かせた。

▽逃亡を企てた者には食事を何日も与えず、片腕に「障害者」、片腕に「連絡先は……」の入れ墨を彫らせた。

韓国の牧師とは……拙著『なぜ日本人は韓国に嫌悪感を覚えるのか』（飛鳥新社）の『ウリスト教』の秘密」を再読されたい。

こうした報道があると、韓国社会は「許せない」といった公憤で満ちる。が、すぐに忘れられ、「今度は畜舎奴隷」「ガレージ奴隷」といった小さな記事が出ても、もう何の反応もない。

強制労働させられている奴隷ではないが、特別支援学校の教員が、知的障害がある15歳の女子生徒を何度もレイプした事件もあった。この教員に対する判決が執行猶予付きだったことなど、驚くに値しない。なにしろ「犯罪者に優しい国」であり、かつ「知的障害者に冷たい国」なのだから。

韓国版アウシュビッツ

こうした背景には、家族、社会の障害者に対する冷たさだけではなく、「障害者の抹殺」を〝社会浄化＝悪いことではない〟とする国家・国民の暗黙の了解があるのではないかと思えてくる。

そう疑わせるだけの事実がある。

釜山市から委託契約を受けた「兄弟福祉院」という福祉法人が、内務省の訓令を根拠に、1975年から87年まで、ホームレス、身障者、孤児など3000人を、5メートルの塀で囲まれた収容施設に連行した。そして強制労働と暴行。12年間に513人が死亡した。まさしく「アウシュビッツ」ではないか。

その理事長が逮捕・有罪になったのは、監禁罪でもなければ暴行罪でもなかった。補助金の横領で懲役2年6カ月だった。

同じような施設というか収容所が他にもあった。カトリックの団体が大邱《テグ》市の委託を受けて運営する「大邱希望院」だ。

ソウル新聞（16年10月9日）などによると、職員による日常的暴行と補助金横領は「兄弟福祉院」と同様。3年弱の間に、収容者の10％以上に当たる129人が死亡した。

この施設を、保健福祉省は「A等級」として評価してきたというのだ。

知的障害児を対象とした特別支援学校の建設も進まない。支援学校に通っているのは、対象者の3割ほどとされている。

2018年3月、ソウル江西区《カンソ》で、支援学校建設の説明会があった。まず教育監（教育委員長兼教育委事務局長に当たる職）の入場が住民により妨害された。揉《も》み合いの末、ようやく教育監が席に着くと、拡声器を持った住民が「お前の家の前に建てろ」などとがなり立てた。

住民が反対する理由は、「そんなものを建てられたら、このあたりの地価が暴落してしまう」。老人福祉施設の建設に反対する理由と同じだ。

それなのに、反日種族は、事あるごとに「われわれは日本に対して道徳的優位にある」と真顔で言うのだ。

2の常識

人糞を投げつけてくる

憎むべき相手を自分の大便で穢す

ベネズエラでは、反政府デモ隊が人糞をプラスチック容器に詰めて警官隊に投げつけている――というAFP通信の記事を読んだ時、「アレ、これが、世界的通信社が世界じゅうに向けて配信するトピックスなのか」と私は思った。それは、私が韓国メディアを読み過ぎているからなのだろう。

韓国では、「人糞投擲《とうてき》」「糞尿浴びせ」が決して珍しいことではない。AFPのソウル特派員も、珍しいことではないから送信していないのだろう。

改めて、ネットで「人糞投擲」を検索してみたら、上位に出てくるのは韓国の話ばかりだった。

憎むべき相手を、自分の大便で穢《けが》すことにより徹底的に貶《おとし》める――これが、韓国人の「人糞投擲」「糞尿浴びせ」の動機のようだ。

私が時事通信社のソウル特派員だった5年間にも、支局の近辺で2回、「人糞投擲」があった。被害を受けたのは、どちらも客の多い飲食店だったと記憶する。両方とも新聞のネタにはならなかった。よくあることだからだろう。

２０１３年９月、映画監督キム・ジョグァンス氏と、タレントのキム・スンファン氏の男性同士の結婚式に、同性愛反対の男が侵入して「自分の大便と味噌《みそ》を混ぜたもの」を投げつけた。

14年２月、ソウルのロッテ・ホテルのロビーで、男がペットボトル２本に詰めた（これは人糞ではなく）動物の排泄物《はいせつぶつ》を撒き散らした。男はロッテ建設の下請け会社の代表だった。商売上の揉《も》め事があったようだ。

この２件は報道された。それは有名人同士の同性結婚式、韓国を代表する一流ホテルという場所が「報道すべき」と判断されたからなのだろう。一般の商店や民家を標的にした人糞投擲は、よほどの背景でもなければボツになっていると判断してよいだろう。

同性結婚式での投擲を報じたマネートゥデイ（13年９月９日）は、「汚物投擲は軽犯罪と思われているが、投擲した周辺に人がいる場合は暴行容疑が適用される」と解説している。

なるほど、普通は軽犯罪なら新聞が記事にすることもない。

売名行為で人糞を

多くの反日種族にとって、日本大使館は「憎むべき相手」の象徴のような建物だ。だからたびたび投擲されている。私が把握しているところを列挙しよう。

①12年8月27日 40歳代の男が、糞尿を入れたペットボトル2本を大使館に投げたが、届かず。警察は、男を任意で取り調べ。前歴がある反日活動家。

②13年2月22日 崔某(49)が、自分の大便を入れた750ミリリットルのペットボトルを大使館の庭に投げ込み、検挙された。崔は「日本の『竹島の日』行事に抗議するため」と供述。

崔は11年5月にも、日本の竹島領有権主張に怒り、自分の小指を切り落として宅配便で大使館に送り、外国使節脅迫容疑で書類送検された。

③14年2月19日 ソウル市江東区《カンドン》の区会議員を務めたことがある男(70)が、白いビニール袋3つを大使館に投げ込もうとしたが、届かず。3つの袋には、合わせて1・5リットルほどの人糞が入っていた。警察は軽犯罪反則金(5万ウォン)を科し、訓戒放免。

元区議は人糞投擲に先立ち、弟とともに「対馬《つしま》は私たちの土地、日本は直ちに返還して謝罪しろ」などの内容のビラを配っていた。

④**14年3月30日**　愛国国民運動大連合と称する民族派団体のオ・チョンド代表が大使館に汚物を投擲、警察に連行された。

⑤**15年2月22日**　大使館前で、独島《ドクト》に本籍地を移した人でつくる「独島郷友会」のメンバーが「竹島の日」に対する抗議行動を展開（警察は「路上パフォーマンス」として黙認）した。そのなかにいた50歳代の男が人糞の入ったプラスチック容器を大使館に投げつけ、現行犯逮捕された。

⑥**15年8月4日**　ソウル市江東区の元区会議員が、人糞を入れたビニール袋を、建て替え工事中の大使館に投げ込んだ。元区議は現行犯逮捕され、即決裁判に回された。

日本大使館の前には、常に何人かの警察官が立っている。だから人糞投擲をしたら、すぐに捕まる。そして、大使館は一般商店とは違うから報道される。それでも犯行に及ぶ人とは、実は逮捕されることを望んでいる。つまり「売名行為」なのだ。

①②⑤は同一人物だ。そして③⑥も同一人物だ。

〈1の常識〉や拙著『なぜ日本人は韓国に嫌悪感を覚えるのか』の「恩赦から放免へ」でも

紹介したが、韓国とは〝犯罪者に対して優しい国〟だ。崔某は11年に外国使節脅迫容疑で書類送検されているが、その後の外国公館に対する人糞投擲は、おそらくすべて罰金で終わったのだろう。それでも、これだけ場数があれば「反日活動家」として〝いい顔〟になれる。

元区議も、初回は反則金5万ウォン、2回目も即決裁判ならせいぜい罰金10万ウォンだ。日本円にして1万円も出せば、反日派＝愛国者として名前が新聞に載る。格好の選挙運動だ。

それにしても、ビニール袋ならいざしらず、ペットボトルに人糞を詰め込むのは難しいだろう。柄杓《ひしゃく》と漏斗《じょうご》を使えば上手くいくのだろうか。

国会で首相に糞尿を浴びせかける

「糞尿浴びせ」は、あまりにも有名な事件があった。

1966年9月のことだ。サムスン財閥の化学品メーカーである韓国肥料のサッカリン密輸事件で世論は沸騰《ふっとう》していたが、政府はサムスンを庇《かば》う姿勢を見せていた。

この時、国会で質問に立ったのが金斗漢《キムドゥハン》議員だった。彼は日本統治時代には、日本の暴力団と抗争した民族派暴力団の頭目《とうもく》だった（反日の俳優であるソン・イルグクは金斗漢の孫）。日本で暴力団から国会議員になった人物といえば浜田幸一氏が有名だが、韓国とは今日でも国会議員選挙の立候補者の4割近くが「前科あり」という国だ。金斗漢が国会議員になったことに何の不思議もない。

彼は議場にボール紙で包んだアルミ缶を持って現れ、「財閥と癒着《ゆちゃく》した政府」を批判する演説を始めた。

そして、「不義と不正を知りつつ目をつぶった腐った閣僚を国民の名で審判させていただきます」と述べるや、アルミ缶を持って閣僚席に近づき、「サッカリンを味わえ」と叫んで、丁一権《チョンイルグオン》首相らに、アルミ缶に入っていた糞尿を浴びせかけたのだ。

これで丁一権内閣は総辞職し、サムスン財閥は韓国肥料の株式の51％を国家に献納して、創業者の李秉喆《イビョンチョル》氏は一時的に経営から身を引いた。

アジアの国々の国会では、議員同士の「乱闘」は珍しくない。日本でも、つい最近まで「暴力国会」が珍しくなかった。が、「糞尿浴びせ」はきっと、世界でも韓国だけではあるまいか。

大統領の墓に糞尿をかけてビラを撒く

２０１１年、米韓ＦＴＡの批准《ひじゅん》国会で、反対派の国会議員が議場で催涙弾《さいるいだん》を爆発させたのも、この伝統だろうか。催涙弾は警察のデモ鎮圧用品であり、もちろん市販されていない。どうやって入手したのだろう。

10年11月には、慶尚南道《キョンサンナムド》・烽下《ボンハ》村の山中にある盧武鉉《ノムヒョン》元大統領の墓に男が糞尿をかけて、ビラを撒いた。

ビラには「盧武鉉、あなたの墓に便水を注ぎながら」という題名があり、「全教組、全公務員労組、民主労総など民主勢力を装《よそお》った無数の左派勢力の生成を助けて全国民を不安に震わせた。親北朝鮮左派勢力らが国のアイデンティティを混沌《こんとん》に陥《おとしい》れた」と、元大統領の罪科《ざいか》を糾弾する内容があった。

「憎むべき相手」は、死んだあとでも貶める。遺体を墓から引き出して鞭《むち》を打つ。刑死者の遺体を切り刻んで川に捨てる。そんな歴史からすれば、墓の上から糞尿を手向《たむ》けるとは、文明的には進歩したのかもしれない。

男は、1週間前から自宅のトイレで人糞を貯めて10リットル入りの桶に入れ、それをリュックサックに収めて山を登ってきたという。すごい執念だ。この男も軽犯罪法違反かと思ったら、器物損壊と死体汚辱の容疑で逮捕されたという。

テコンドーは韓国の国技とされ、ソウルには「国技院」という名の総本山の道場がある。13年5月、国技院の理事長選挙の場に「市民団体代表」を名乗る男2人が現れ、糞尿が入った水桶を投げつけ、選挙を中断に追い込んだ。

国技院は昇級・昇段審査権を握っている。その審査料だけで、年に85億ウォンになる。理事長選挙＝利権争いであり、「市民団体代表」の要求も人事刷新だった。

これを報じた中央日報（13年6月4日）には「韓国の固有武術であるテコンドー」と、例によって「サラリと書く嘘」があった。

テコンドーが発足したのは1955年だ。まだ100年の歴史もない。しかも空手のパクリにすぎない。このテコンドーを「韓国の固有武術」と言いくるめる努力が続いているのだ。

16年6月、国技院の理事長選挙でまた人糞投擲があり、理事会が流会になった。

「国技」というべき「パクリ」によって成立した武術を「国技」とし、その総本山では理事長選挙のたびに……人糞投擲、糞尿浴びせも「国技」と呼んだほうがいい。

「直接脱糞攻撃」の登場

地方の家庭にも、水洗トイレが普及している。となると、投擲、浴びせかけの原料が調達しにくくなる。それでだろうか、「直接脱糞攻撃」が出現した。

12年1月、ソウル忠正路《チユンジヨンノ》にある豊山《プンサン》ホールディングス・ビルで、整理解雇反対の集会があった。それに参加していた民主労総（極左・従北の路線を採る過激なナショナルセンター）所属の組合員の1人が、2階ロビーの正面横で脱糞した。その大便を出入り口に投げつけたうえ、周辺の窓ガラスに塗り付けて回った。

12年4月、やはり民主労総の傘下にいる全州《チヨンジユ》市営バス労働組合の組合員が市庁の玄関前で脱糞した。

朝鮮日報（12年4月25日）が、脱糞場面の写真（肝心な部分は塗りつぶし）付きで詳しく報じている。引用しよう。

——23日午前10時16分頃、全州市庁舎前の芝生広場でストを展開する全州市営バス労働組合の執行部が「決死闘争」を叫びながら会社や全州市、全羅北道《チョルラプクト》を激しく非難するなか、組合員のK氏（55）が集団のなかから突然飛び出し、市庁舎玄関前に向かって歩いていった。そして仲間が見守るなか、K氏は玄関前でズボンを下ろして座り込んだ。

シャッターが下ろされた玄関横にいた警察官1人が駆け寄ってK氏を立たせようとすると、K氏は「大便よりも汚い市庁の奴ら」などと叫び、警察官の手を振り払いながら一瞬にして用を足した。

K氏は仲間の組合員が差し出したティッシュで後始末をすると、集団のなかに戻った。時間にするとわずか2分ほど。K氏の大便は市庁の職員が片付けた。

K氏は24日午前10時から行われた集会にも姿を現し、マイクを握った。司会者はK氏を「昨日勇気ある行動を起こした方」と紹介した——。

脇道に逸《そ》れるが、全州市営バス労働組合の〝闘争ぶり〟についても触れておこう。

バス労組の要求は、①懲戒委員会に市側の職員と同人数の組合員を参加させること②労働日数の削減③手当の拡大——などだ。

市営バス労組の長期ストに対して、全州市は民間バスの借り上げ運行を行っていたが、労組は走行中のバスに金属を投げつけて窓ガラスを割るなどの危害を加えたほか、あるバス会社の車庫に止めてあったバスに火を付け、全焼させた。

全羅北道知事の長女の結婚式会場にも押し掛け、会場入り口前の路上で知事や一部招待客に暴言を吐きながら蹴り上げようとしたり、止めてあった車のタイヤをパンクさせた。

集会の現場近くで、花壇を撮影していた女性公務員など5人に暴行を加えた。

まさに、やりたい放題。この民主労総が文在寅《ムンジェイン》政権の強力な支持集団なのだ。民主労総の幹部たちは「われわれは文在寅に（政権を樹立させてやった）貸しがある」と述べている。大宇《デウ》造船海洋が国費投入により生き続けているのは、そこが民主労総の一大拠点であるからだ。

空港に現れたゴリラ人間

2018年1月4日の夜、タイ・プーケット空港の出国ロビーで、若い男が突然、全裸になり、大声を上げた。警備員が駆け付けるや、男はその場にしゃがみ込んで脱糞、それを手に取り警備員や乗客に投げつけた。

ゴリラは敵に追われると、便を投げつけるという。この男は追われていたわけでもないのに、まるでゴリラ人間だ。男はその後も大声を上げながら、出国ロビーにある店の器材を壊して回り、警察官がようやく取り押さえた。

コリア・デイリー（韓国語サイト18年1月9日）によると、男はニューヨークに住む韓国人（27）で、「バイアグラを大量に飲んだため」と供述した。

20歳代にしてバイアグラ!? バイアグラには泄瀉《せつしゃ》作用や、人間をゴリラ化させる薬効もあるらしいからご用心を。

時に、エンガチョとはどういう語源か。私の高校時代の恩師・網野善彦氏によると、「エン（縁または穢）をチョン切る」だそうだ。反日種族にエンガチョしたい日本人が増えているのも当然だ。

3の常識

不衛生大国

院内感染が多発、反省しても改善なし

ソウルの梨花《イファ》女子大学・木洞《モットン》病院で、集中治療室の保育器に入っていた4人の未熟児が1時間半の間に相次いで死亡したのは、2017年12月16日のことだった。

聯合ニュースの第一報では「死因不明」。まさか、未熟児連続殺人か。

その後、「看護師から事情聴取」といった短い続報があり、18年1月12日になって、警察は解剖検査の結果として、死因を「抗生剤耐性菌シトロバクター・フロインディの感染による敗血症」と発表した。

4人の未熟児には、「スモフリピッド」という脂質《ししつ》栄養剤が投与されていた。その投与の過程で、院内感染があったというのだ。

米食品医薬品局（FDA）はスモフリピッドについて、「未熟児に投与すれば死亡の危険がある」と警告している（中央日報18年1月13日）という。

韓国政府の食品医薬品安全処は、「新生児の肺に脂肪は蓄積していなかった」「この栄養剤が死亡の原因になったと見ることはできない」と表明している。そうだとしても、この

病院が「死亡の危険がある」と警告されている栄養剤を使っていた事実は動かない。

警察は3月4日になって「脂質栄養剤の準備段階で汚染が発生した疫学的蓋然性《がいぜんせい》がある」と発表し、看護師ら5人を業務上過失致死容疑で立件した。

脂質栄養剤からも輸液セットからも、問題の菌は検出されなかった。だから、残るは「人の手」だけだ――という立論に問題はないのか。

立論の仕方はさておき、「院内感染」「人の手」と出てくると、観察経験の長い韓国ウオッチャーほど「やはり」と、つい納得してしまう。それほど、韓国人の手は汚れている。病院も汚れているのだ。

朝鮮日報（18年1月13日社説）は、こう書いている。

「この病院では数カ月前にも、新生児に投与していた輸液の容器から小さなハエが発見される事件が」

「（韓国の病院では）看護師は患者のおむつを替えた手で子供に注射をしている。しかも、これが問題視されたとは聞いたことがない」

「15年には病院の杜撰《ずさん》な対応が原因で、中東呼吸器症候群（ＭＥＲＳ）の感染が広がり、医療現場では反省の声が相次いだ。しかし、実際は何も改善されていない」

よその国のこととはいえ、なんだか溜め息《た》が出てきそうな社説だ。しかし、こんな社説のなかに「韓国の医療技術は世界的なレベルにあり」と、寝言のような一節がサラリと入っている。

さすが韓国の愛国マスコミだ。

医師の手洗い実践率

韓国人の手は汚れている。医療現場のスタッフたちの手も汚れている。

韓国政府の疾病《しっぺい》管理本部は、16年3月から12月末まで、医師協会、大韓病院協会とともに感染症予防のため「医療スタッフの手の衛生」に関する実態調査を実施した。ところが、その調査結果がいつまで経っても公表されない。

通信社ニューシスの配信記事「手を洗わない医療関係者たち……医療〝隠匿〟、政府〝傍観〟、患者だけ〝怒り〟」（17年7月16日）が、その事情に切り込んでいる。

「（公表されないのは）医療機関従事者の手洗いの実態が途方もなく低い結果だったためと分かった」

「疾病管理本部の関係者は『医師の場合、手洗い実践率が60～70％の水準に過ぎなかった』と言い、それ以上の言及は避けた」

医師で60～70％、ならば看護師、その他の病院スタッフはどうなのか。疾病管理本部の関係者は、最も高い数値だけ明らかにしたのだろう。

「医療界が反対する以上、具体的な説明をするのは難しいという説明だ。医協関係者は、『この報告書は内部資料とすることで合意した』という立場だけを繰り返している」

ニューシスの記事は続く。

「手洗い、マスク着用など医療機関従事者として非常に基本的な感染管理だけでも数多くの感染症の予防が可能なのに、現場で守られていない……しかし、保健福祉省は院内感染に故意性がない限り、処罰は難しいという立場だ」

梨花女子大学・木洞病院の5人の看護師も、立件しただけで終わるのだろう。看護師たちは「手を洗った」と、故意性はなかったことを主張しているのだから。

その昔、韓国で毎晩毎晩、韓国人と爆弾酒パーティーを続けた結果、アルコール性肝炎《かんえん》になって入院したことがある。サムスン財閥が経営する有名病院だった。

午前中に点滴をする。ある日、看護師が輸液を持ってきて腕に刺した。私が「あれ、薬が変わったの？　いつもと輸液の色が違う」と言うと、看護師は輸液セットに付いた名前を見た。

「アッ」と、看護師は小さな声を上げて針を抜き取ると、輸液セットを抱えて慌てて出て行った。いまにして思えば、きっとそのまま別の患者の腕にブスリだったのだろう。いやいや、私も別の患者に間違って刺した針で点滴をされていたのかもしれない。

ジュースに人肛添加物あり

医療機関にしてかくの如しなのだから、飲食店の従業員に手洗いを実践させることなど、夢のまた夢でしかあるまい。

退院直後のことだったと思う。日本から、一流ホテルのなかにある日本料理店に指導に来ていた寿司職人と話した。彼が3年ほどの任期を終えて、帰国する直前だった。

「店に入ってきたら、まず手を洗え。これを従業員に励行させるだけで大変な苦労でしたよ」と彼は振り返った。
2、3年後、彼が再び韓国の同じ店に赴任してきた。また2人で飲んだ。

「あれだけ苦労して手を洗えと指導し、ようやく『まず手を洗う』が実践されるようになったと思っていたのですが、戻ってきてみたら、完全に前の状態に戻っていました」

ソウルの繁華街では最近、ジューススタンドが増えている。果物や野菜を客の見ている前でジューサーにかけて、生ジュースをつくる。

韓国人は、顔の造作も含めて自分の身なりや所有物については驚くほど「外華内貧《がいかないひん》」の性向が強い。中身はどうでもいいが、外観を飾り立てるのだ。

ソウルの女性の5割超が「美容整形済み」であることは、まさしく「外華内貧」の表れだ。しかし、食品に関しては「外観」を気にしない。汚れた植木鉢のような丼《どんぶり》でもいい。キムチの食べ過ぎで舌が麻痺《まひ》しているのか、味もあまり気にしない。絶対的な尺度は「体に良い」だ。それで生ジュースは人気があるのだろう。

ところが、それがしばしば「大腸菌がいっぱい」なのだ。

大腸菌は一般的に、糞便《ふんべん》→人の手→人の口と伝わる。「人工添加物なし」でも「人肛添加物あり」というわけだ。

ソウルの夏の屋台でかき氷——絶対に食べてはいけない。

真空パックした製品からも大腸菌

日本人は昔から、「有名な商店」「大手メーカー」への信頼感が強い。それで「いくら韓国人が手を洗わないといっても、有名な店で売られている大手メーカーの食品なら大丈夫だろう」と考えがちだ。それは韓国では通用しない。

聯合ニュース（韓国語サイト16年7月21日）は「ロッテマート、イーマート、ホームプラス、ロッテフードの弁当・のりまきから大腸菌」と伝えた。

これを日本語サイトにアップしなかったのは、さすが「愛国的マスコミ」。「イーマート」（サムスンの外郭《がいかく》財閥である新世界グループ）も「ホームプラス」も、韓国ではロッテと並ぶ大手スーパーだ。

トッポギとは、韓国もち（モチ米ではなく、ウルチ米から作る）を辛子《からし》みそで炒《いた》めたファストフードだ。屋台で売られているものには「危なさ」を感じても、大手食品メーカーが製造し、しかも真空パックした製品なら安心と普通は思う。が、そこからも大腸菌が検出された。きっと真空ではなかったのだろうが、あまりにも「韓国的な悪質さ」満載の事件なので、詳しく説明しよう。

①このメーカーは生産量と流通網では業界1位だが、13年4月から15年2月まで大腸菌と食中毒菌などが検出された材料で作ったトッポギなど、数百億ウォン分を市中に売ってきた。髄膜炎《ずいまくえん》、敗血症《はいけつしょう》などを引き起こすリステリア菌が検出されたこともあったが、消費者を騙し続けた。

②大腸菌が検出されて、地方自治体から一定期間販売禁止処分を受けた製品があると、包装紙を変えて他の製品のように騙して販売した。

③倉庫に保管中の米から蛾《が》の幼虫が大量発生すると、猛毒性の農薬を散布し、米袋についていた幼虫だけを払いのけて製品に使った。

④有害菌が出てきて販売業者が返品してきた製品は、福祉団体が運営するフードバンクに全量寄付して寄付控除を受けていた。

⑤警察の捜査が入ると、検査記録を偽造したり、廃棄するなどして証拠隠滅を図った。

これを特ダネ報道したCBSノーカットニュース（15年7月6日）には、このメーカーの固有名詞が載っていない。「記者さん、貰ったのね」と疑うのは当然だろう。

裁判所が、このメーカーの役員について「逃亡の恐れはない」として逮捕令状を棄却《ききゃく》したことも、「（政治犯を除く）犯罪者に優しい国」ならではだ。まとめて言えば、「非常識大国ならではのこと」と言えよう。

女性用トイレの便座から71万個の細菌

朝鮮日報が、地下鉄ソウル市庁駅構内のトイレに午後6時半から7時半までの1時間張り込んで、「手を洗うかどうか」の実態調査をしたのは、09年8月31日のことだった（日本語サイトは9月2日）。

その結果、トイレを利用した男女２０４人（男性１００人、女性１０４人）を観察したところ、手を洗った人は全体の59％に当たる１２１人だった。

石鹸《せっけん》で手を洗ったのは31人（15％）で、乾燥機で手を乾かしたのは72人（35％）だった。手を洗った人のうち、半数（61人）は2秒から3秒ほど水で洗い流すだけだった。石鹸を利用して流水で20秒以上きれいに洗い流し、最後にしっかりと手を乾かすまでに至ったのは、1時間の間にわずか3人だった。

ソウル市庁駅構内のトイレを利用してから、飲食店の調理場に立つ人もいたことだろう。

だから、「食品医薬品安全処が、全国の飲食店で販売されているユッケ177件を検査したところ、45件（25％）から大腸菌が検出された」（聯合ニュース・韓国語サイト11年8月3日）なんて、まったく驚くべきことではない。だから、この聯合ニュースもベタ記事だ。

ところで、手を洗う前に便座はどうなのか。

ソウル大学生命科学部微生物学研究所のチームが、5カ所の駅で女性用トイレの便座を調べたところ、「1つの便座当たり、平均71万個の細菌が検出された。……検出された細菌の種類は大腸菌グループ＝17種、サルモネラグループ＝9種、葡萄《ぶどう》状球菌グループ＝5種」（東亜日報07年2月5日）。

古すぎる報道資料だと批判しないでほしい。なぜなら、大学病院ですら、反省の声は上がっても一向に改善されないのが韓国なのだから。

それで16年になっても、「和式トイレを好む割合は男性の17・9％、女性の37・2％を占めた。和式を好む人の86・7％は、その理由を『（直接肌が触れないため）より衛生的だ』と答えている」というアンケート結果が出るのだ（聯合ニュース16年6月21日）。

便器を磨いたスポンジで

以下は、拙著『なぜ日本人は韓国に嫌悪感を覚えるのか』（飛鳥新社）に収録した話だが、再度紹介したい。

ソウルの一流ホテルでは、便器の水をスポンジに含ませ、便器も浴槽も洗い、スポンジを濯《すす》ぐこともないままコップを洗い、その水気は客が使って床に落としていたタオルで拭き取っている。

これは伝聞ではない。テレビ朝鮮の記者が、ソウルの一流ホテル3カ所に各2泊3日滞在し、部屋に監視カメラを取り付けて清掃作業を収録した結果をまとめた特ダネだ。

テレビ朝鮮（18年3月4日）によると、枕カバーも叩いただけで取り換えないホテルもあった。清掃後、汚染度測定器で客室のソファを測定すると、安全基準値の15倍を上回る数字が出た。

韓国の衛生状態に関しては、大学病院も一流ホテルも信じてはいけない。まして町の食堂や屋台など、とても信じられない。

それでも、頻繁に手を洗うことにすれば……実は、それも危ない。蛇口がすでに汚染されている可能性があるからだ。12年の麗水《ヨス》万国博覧会では、水道の蛇口が大腸菌で汚染されていたことが明らかになった。

では「おしぼり」は……。韓国の食堂で出される「おしぼり」から大腸菌が検出される例は枚挙《まいきょ》に遑《いとま》がない。だから、新聞ではベタ記事であり、韓国の医師は「おしぼりは危険だ」と警告している。

ならば市販のウエットティッシュなら……。重金属を含む殺菌剤が検出された事例がある。

韓国には、行かないに限る。

4の常識

赤ん坊輸出大国

障害児は海外に出してしまえ

「韓国は儒教の国ですから、親が娘を売るようなことは絶対にありません」――いつだったか、日本で活躍する韓国人タレント、いや大学教授がテレビの討論番組で、こう絶叫《ぜっきょう》していた。それに対する日本人の反論が、「いや、昔は日本でも……」と何とももどかしかった。

韓国が「儒教の国」でないことは、何度も書いてきた。上記の発言は慰安婦問題に関するものだったが、いまでも韓国は世界に冠たる「赤ん坊の輸出大国」なのだ。日本のテレビ局は、しばしば韓国ルポを放映する。新聞も時にストレートニュースではなく、韓国に関する読み物記事を載せる。そこで「赤ん坊の輸出大国」という厳然《げんぜん》たる事実が採《と》り上げられたことがないのはなぜか。

少なくとも、いまも「赤ん坊の輸出大国」である事実が日本ではほとんど知られていないから、韓国人は日本のマスコミで大嘘を吐《つ》けるのだ。

2007年、米国に養子として渡った13カ月児が養母に殺害される事件があった。これに関連して、中央日報（07年12月20日）は「これまで海外への養子縁組は16万人にのぼり、毎年約2000人ずつ増えている」と書いている。

ハンギョレ新聞（韓国語サイト09年5月15日）は保健福祉家族省（当時）の資料を引用して、「1958年以後、2008年まで韓国から海外へ養子として送った子供は16万158人だ。このうち67％である10万8222人をアメリカに送った。その次はフランス1万1165人、スウェーデン9297人、デンマーク8702人の順だ」と伝えている。

韓国ネットメディアのプレシアン（11年10月17日）は、ソウル大学の博士課程に在籍する研究者の論文を掲載している。

――20世紀以降、（世界全体で）最低でも45万人の国際養子縁組があった。国際養子統計に入れられた韓国児童の数だけで15万人を優に超える。一部の学者は20万人を超えると主張する。少なく見ても海外に送り出される養子のうち、最低3分の1は韓国出身だ――。

誤解のないように述べておくが、ここで取り上げる「養子」とは、物心つかない赤ん坊だ。

そして、先天性の障害を持つ赤ん坊が多いことを特記しなくてはならない。

中央日報（09年5月11日）が伝えた「03～08年の養子縁組資料」によると、以下のとおりだ。

5年間の養子縁組は、国内が1441人。うち障害児135人。海外養子は4678人。うち障害児3428人。もう、言葉を失う数字だ（10年代に入ると、海外養子に占める障害児の比率は20％内外に下落したとされる）。

赤ん坊を金で買う養子ブローカー

「国別で4位を維持していたが、13年には一時15位に下がった……だが、14年には5位と例年の水準に戻り、昨年は3位に上昇した」

世界卓球の国別ランキング報道かと思ってしまうが、これは「米国への養子縁組、韓国はエチオピアに次ぐ3位」という見出しの朝鮮日報（16年5月6日）の記事だ。

それによると、米国が15年に世界中から迎え入れた養子は5648人で、その内訳は中国2354人、エチオピアが335人、韓国318人。

韓国の養子送り出し先は米国が6～7割を占める。だから15年に韓国が世界に送り出した養子が全部で500人ほどだったとすれば、「毎年約2000人ずつ増えている」とされた時期よりは、ずいぶんと減った。

だが、中国の人口規模は韓国の二十数倍だ。戦乱が続くエチオピアを別にすれば、韓国は依然として世界屈指の「赤ん坊輸出大国」なのだ。

「輸出」という言葉に引っかかる人もいるだろう。「人間のことなのに、なぜ輸出などというのだ」と。

韓国には養子ブローカーがいる。彼らのなかには宗教団体や、「社会福祉法人」の資格を持った団体もある。韓国紙は、そうした団体を「入養機関《イビヤン》」と書く。それで政府組織かと誤解する向きもあるが、裏でしていることは養子ブローカーだ。

「以後、この子供とは一切の関係を持ちません」との念書と引き換えに、生みの親から赤ん坊を金で買う。

そして、実の父母が分からない孤児であるとの戸籍を得て、子供を欲しがっている外国人に斡旋《あっせん》して手数料を取る。まさに人身売買。「赤ん坊の輸出」だ。

外国人の希望者が見付からなければ、仕方ない、手数料は安くなるが国内の希望者に売る。

前掲のハンギョレ新聞は、人権団体と称される韓国の福祉法人のホームページの内容を伝えている。

「米国の家庭が韓国の子供を〝入養〟するために支払わなければならない費用が出ている。1万7215ドルだ。〝入養市場〟で韓国の赤ん坊は一番高い。利口だと噂が立って、外国の希望者たちの間で人気が高い。……登録費、書類作成費用、エスコート費用などは別《べっ》途《と》だ」

ちなみに、この記事の見出しは「産業化された〝入養〟、初めから最後まで傍《かたわ》らで助ける国の過ち」。韓国の赤ん坊輸出は「産業」なのだ。

凄まじい貧富の格差

では、〝輸出原材料〟の供給者はどんな人々なのだろうか。

「養子として海外に渡る子供のうち、最も多いのはシングルマザー（未婚の母）の子供で87％を占める。残る13％は、親の離婚などで養育が困難になった子供たち」（朝鮮日報11年12月25日）という。

国際間の養子縁組に関するハーグ条約がある。この条約の趣旨は、国際間の養子縁組をできるだけ減らすことにある。

欧米の富裕層では、白人でない赤ん坊を養子として迎え入れ育てることが、ある種のステータスシンボルでもあるらしい。アジアの貧しい孤児、しかも障害を持つ孤児を引き取り、立派に育て上げたいと純粋に考え、それを実践するケースもあるだろうが、白人でない養子が白人社会のなかで差別に晒《さら》される事例は極めて多いようだ。

それでハーグ条約は、孤児について国内での養育を原則とし、国内ではどうにも養育できない場合の「最後の手段」として国際養子を挙げている。

1980年代以降、韓国は明らかに中進国に発展した。1996年には、「富裕国の集まり」とも言える経済協力開発機構（OECD）にも加盟している。

もちろん、韓国の国内には凄《すさ》まじい貧富の格差がある。それで貧しさゆえの捨て子もある。実際には「願わざる出産」だったという理由からの捨て子のほうが多いようだが、国内にも養子を受け入れる家庭はある。

少なくとも孤児院の運営費ぐらい、政府予算からいくらでも捻《ひね》りだせる。「国内ではどうにも養育できない場合」など、韓国の経済規模からして発生し得ないのだ。

ところが、韓国はこの条約に加盟していない（実は日本も加盟していない。国際養子の実績が、送り出し、受け入れともほとんどゼロだからで、韓国とは基本的背景が違う)。

もっとも、韓国のなかには加盟していると信じている国民もいそうだ。中央日報(13年5月25日)が「韓国がハーグ国際養子縁組条約に加盟」と大誤報を打ったからだ。

実際は、保健福祉相がハーグで「条約に署名」しただけだ。つまり、書類を受け取りましたと確認しただけのことだ。韓国国会で「批准《ひじゅん》を求める動議」は可決されても、批准はされていない。必要な国内関連法は全く成立していない。

そんな状況にありながら、韓国はハーグ条約の履行を監視する役割を持つ国連児童権利委員会で委員長を務めていたのだから、その厚顔無恥《こうがんむち》には呆れ果てる。

「戸籍洗濯」という隠語、役所も裁判所もグルだ

欧米諸国が、ハーグ条約未加盟国から養子を迎え入れる場合は、その赤ん坊が孤児であることを証明する公式書類が必要だ。

そこで「戸籍洗濯」という隠語が出てくる。出生届を出していない赤ん坊を買い取り、「棄児発見調書」を自治体に提出する。次は「棄児発見調書」を根拠に家裁に申し立て、独

自の戸籍を作る。ここまでが「戸籍洗濯」だ。

それから150日間を過ごす。韓国政府が07年に制定した「国内養子縁組優先推進制」で、海外養子に送り出す前に「150日間の国内養子縁組の努力」をしなければならないと義務付けたからだ。

それが過ぎれば「輸出品」になる。

さすが韓国社会でも、2005年頃からは、海外への赤ん坊輸出は「恥ずかしいことだ」という世論が台頭してきた。そうしたなかで、聯合ニュースが「海外養子の影」という特集を組んだ（韓国語サイト12年12月10日）。

そのなかで、ある牧師は「孤児にだけ養子縁組を許容するという原則があるため、私たちの社会は過去、裁判所と区庁まで一緒になって公文書を偽造する悪行を犯していた」と述べている。

自治体も家裁も、牧師いやブローカーが提出する「棄児発見調書」を虚偽申告であることを知りながら手続きを進めたということだろう。

別の牧師は、「私たちはこれまで養子縁組を〝天使の行い〟とだけ見てきたので、このような悪行が問題にならなかった」と述べている。

〝天使の行い〟とは、きっと朝鮮日報（11年12月25日）に紹介されている以下のような世論のことだろう。

「われわれが育てる自信がない子供たちは、より良い条件の下で育てるのが理想だ。それが気に食わないのなら、あなたがまず養子を迎えるべきだ」

同紙は、「このような声に、多くの人々は沈黙した」と伝えている。

インターネットで新生児取引

海外への養子輸出がだんだん難しくなってきた――というのはブローカーの事情であり、子供を捨てたい親は減らない。

韓国は「ネット大国」だ。

MBN放送（13年9月27日）が、「赤ん坊の国内ネット取引」を伝えていた。

「生まれて2カ月にしかならない子供が、見知らぬ人の懐《ふところ》に抱かれます。生母はインターネットを通じて子供を養子にする両親に会い、まず親権放棄の念書を差し出します」

「インターネットに赤ん坊の養子縁組を望むというメッセージは、1日に数十件ずつ上がってきます。生母も養子縁組を望む両親どちらも、公式の養子縁組記録が残らないことを望むためです」

出生届を出していない赤ん坊を、子供が欲しいと願う夫婦に渡し、その夫婦が自分たちの子供として出生届を出せば、養子ではなく実子というわけだ。

JTBC放送（13年11月27日）も、同じテーマを報じた。インタビューに応じているのは出産前の女性だ。

「（男と）一度会ったのがこのようになってしまい、（男と）連絡する道もなく……」

「出産準備費用があるから400万ウォン～500万ウォン程度」

「自身の戸籍に出産記録を残さないために、このような新生児取引をするのです」

新生児取引はもちろん違法だ。「10年以下の懲役または5000万ウォン未満の罰金」となっているのだが、摘発された事例はほとんどない。

私のファイルにある唯一の摘発例は以下の事件だ。中央日報（09年9月3日）を要約して紹介する。

——大邱《テグ》西部警察署は児童福祉法違反でユ某（28）と同居の男イ某（22、無職）、子供を引き受けたアン某被告（26、女）ら4人を在宅起訴した。

ユとイは、インターネットを通じて知り合ったアンに200万ウォンで生後3日の娘を売った。アンはこの子供を、1時間後にインターネットを通じて知り合ったペク某(34、女)に465万ウォンを受け取って引き渡した。

警察はペクと関連する別の事件を調査中、預金口座から使途不明の金が引き出された事実を見つけて追及したところ、児童売買の事実を摘発した。子供は現在、ペクが養育している——。

コリアウオッチャーなら言うだろう。

「おぅ、なんと韓国らしい〝ほのぼのニュース〟だろうか」と。

「赤い靴 履いてた 女の子 異人さんに つれられて 行っちゃった」

作詞・野口雨情《うじょう》、作曲・本居長世《もとおりながよ》の童謡は、1922(大正11)年に発表された。モデルについては諸説あるようだが、貧しかった日本で親が養育できなくなり、青い目の人(おそらく宣教師)に託《たく》されて海外に渡った少女を憐《あわ》れんだ歌だ。

当時の日本の農村は貧しかった。とはいえ、異人さんに託される子供がたくさんいたわけではない。むしろ稀有《けう》な例だったからこそ、この歌もできたのだろう。少女の碑も建てられたのだ。

朝鮮戦争直後の韓国は世界最貧国家だった。駐留米軍や従軍牧師を通じて、赤ん坊や児童を外国に養子に出さざるを得ない事情もあっただろう。

しかし、いまやGDP規模（粉飾《ふんしょく》部分があるだろうが）では世界11位の経済大国だ。その国がいまでも「赤ん坊輸出・障害児輸出」を続けている。

20万人も送り出したというのに、彼らを憐れむ碑もない。

その代わりに、「20万人が強制連行された」という大嘘に基づく慰安婦の像だけはやたらある。

5の常識

病名は憤怒調節障害

朝鮮日報の「カッとなる韓国人」特集

韓国のマスコミには「韓国人の精神衛生上の問題点」がしばしば載る。が、なぜか日本のマスコミは、それをトレース報道することもない。無理もない。下手に報道したら「ヘイトだ」の大非難を受けるからだ。

私自身、「いつか書きたい」と思いつつ、「有効なデータが不足している」と判断しているうちに今日に至った。そうした状況に基本的な変わりはないが、いまや展開されている日韓葛藤の背後には、「韓国人の精神衛生上の問題点」があるように思えてならない。

「精神衛生上の問題点」を抱えた当局者がいたり、あるいは「精神衛生上の問題点」がストレートに世論になったりして、外交政策にも反映しているのではないかということだ。

私は精神科医でもなければ心理学者でもない。そうした限界を踏まえつつ、ここでは「韓国人の精神衛生上の問題点」を論述したい。

振り返れば、あいまいな形で「韓国人の精神衛生上の問題点」に気付いたのは、もう40年近く前になる。

韓国人の車の運転は乱暴だ。在韓米軍の高級軍人は、韓国にきたばかりの米国人を前に「この国では、目が4つない人は運転しないほうがいい」と教示した。

時事通信社ソウル支局の運転手は、歴代支局長の指導もあり、丁寧な安全運転を心がけていた。が、相手がある。滅茶苦茶な運転をして、間一髪で事故回避となるや、必ずと言っていいほど、交通ルールを守らなかったほうが、ウインドウガラスを下げて罵声《ばせい》を浴びせる。

支局の運転手もやり返す。

「ケーセッキ」——直訳すれば「犬ころ」だが、語感からすれば「糞犬野郎」だ。

なんという国、なんと気性の荒い国民なのかと驚いた。

些細《ささい》なことでいきり立ち、怒鳴り散らす人が、私の感覚では日本人の何倍も多いように感じられた。

ソウルの中心部はエリートサラリーマンが多いから、さほどでもない。

しかし、ソウルも場末、露店や屋台が立ち並ぶ市場に行けば、あっちでもこっちでも大声を張り上げてケンカをしている。

限られた範囲での体験が重なって構成された偏見だろうかと思っていたら、朝鮮日報が

2013年9月19日、「カッとなる韓国人」と題する特集を組んだ。

そのなかで、仁済《インジェ》大学精神健康医学科の教授は「韓国人は腹が立つと荒っぽい言葉を口にすることに慣れている」と述べていた。

ソウル大学心理学科の教授は「社会全般にわたって怒りが加速化しており、上昇する傾向にある」「これまではすれ違いざまにぶつかっても、ただ通り過ぎるだけだったが、最近では相手を罵《ののし》るようになった。徐々に怒りが激しくなっている」と語っている。

韓国に関心を持っている日本人なら、ここで「それは火病《ファビョン》のことでしょ」と言うだろう。そう、日本のネットで言う火病のことだ。しかし、それは韓国で言う火病とは異なる。すぐにカッときて見境をなくす症状を、韓国のマスコミはかつて「血気怒気」と呼んでいた。14年前後からは「憤怒《ふんぬ》調節障害」と表記するようになった。時として、医学用語の間欠性爆発性障害を使う。

あのナッツ姫も

14年12月、米国の空港で、大韓航空（KAL）機が誘導路を動き出した時だった。搭乗していたKALの趙顕娥《チョヒョンア》副社長（当時）が、機内サービスでのナッツの出し方がマニュアルどおりでないと、まさに見境なく大声を上げて怒りだした。

「いえ、マニュアルどおりです」と逆らったパーサーを飛行機から降ろすと言って、機長に命じ、飛行機を搭乗ポイントまで戻させた。「ナッツ姫事件」だ。

韓国のマスコミ界全体が憤怒調節障害に陥《おちい》ったかのように、「許せない悪質パワハラを糾弾する」といったトーンの報道が溢れた。

しかし当時の記事を見直すと、憤怒調節障害との関連を取り上げたものがあった。

朝鮮日報（14年12月28日）で、医学専門記者が憤怒調節障害を以下のように解説している。

「ささいな怒りでも、アドレナリンをはじめとするストレス興奮ホルモンが過剰に分泌される。場違いな怒りを過剰に噴出させ、理性的判断を行う前頭葉の機能をまひさせる。自分の行動が及ぼす結果を予測できず、暴力を振るい、物を壊す。そうして、すっきりしたり、後悔したりする」

解説記事は末尾で、「趙顕娥氏も、怒りのコントロールに失敗したケースに当たると、ある精神科医が分析」と付言している。

10人に1人は治療が必要な高危険群

15年初頭は、憤怒調節障害によると見られる犯罪・事故が続発した。

▽賃金問題でトラブルになった船員が腹立ちまぎれに、トラブルとは全く関係のない市場に火をつけた（国際市場放火事件）。

▽スーパーマーケットの経営者と契約金をめぐりトラブルとなった女性が、店内で焼身自殺を図り、大火災になった（楊州事件）。

▽違法駐車を注意した通行人が、車の所有者に野球のバットでめった打ちにされた（蘆原《ノウォン》駐車事件）などなど。

そのためだろう。各紙がこぞって憤怒調節障害に関する記事を掲載した。私の手元にある15年のファイルだけでも、こうなる。

「衝動調節障害が急増」（朝鮮日報・韓国語サイト1月15日）

「一瞬の怒り抑えられず……カッとなる『衝動犯罪』昨年15万人」（中央日報2月4日）

「憤怒調節障害の原因と治療法は」（毎日経済新聞韓国語サイト2月9日）

「憤怒調節障害を病んでいる大韓民国」（中央日報3月26日）
「成人の半分が憤怒調節障害」（中央日報4月5日）
「韓国人の心、ビッグデータ分析4　怒り」（中央日報6月19日）
「腹立ち紛れの犯罪が41・5％」（朝鮮日報10月1日）
「間欠性爆発性障害、韓国の若い男性に顕著」（朝鮮日報10月10日）

これらの記事のなかで最も衝撃的なのは、「成人の半分が憤怒調節障害」だ。
「大韓精神健康医学会がこのほど実施した調査の結果、韓国の成人の半分以上が憤怒調節に困難を感じており、10人に1人は治療が必要なほどの高危険群であることがわかった」というのだ。

では、治療は進んでいるのか。健康保険審査評価院の発表によると、間欠性爆発性障害で診療を受けた人は15年5390人、16年5920人、17年5986人。「成人の10人に1人」のなかでは、物の数でない。

「腹立ちまぎれの放火」が多発

「韓国人の心、ビッグデータ分析4」によると――以下のアンケート結果は憤怒調節機能障害と直結するものではないが――韓国人の22・3%は「1日に5回以上」怒りを感じる。26・9%は「1週間に3回以上」怒りを感じるそうだ。

15年のスクラップの最後にある「間欠性爆発性障害」の記事は、前出の医学専門記者の執筆で、「問題は、怒りが衝動的な犯罪につながった場合、誰もが被害者になり得るということ」と指摘している。

つまり、憤怒調節障害を発症した人間が怒りをぶつける対象は、怒らせた当事者とは限らないのだ。

憤怒調節障害による犯罪の特徴は「被害者の大半が社会的弱者層」(東亜日報17年6月20日)であることだという。

弱いところが狙われる。モノを言わぬ建物も弱い存在だ。「腹立ちまぎれの放火」が多発するわけだ。

そういえば、対空砲火を備えた駆逐艦からすれば、丸腰の哨戒機《しょうかいき》とは弱い存在だ。いや、何をしても官房長官が「まことに遺憾であります」と〝遺憾砲〟しか撃たなかった日本そのものが、韓国にとっては憤怒をぶつけやすい弱い存在だったのだ。

米国精神医学会が「韓国民俗症候群」に分類、正式表記

では、韓国で言う火病とはどんなものなのかというと、憤怒調節障害とはむしろ逆だ。怒りや「恨《ハン》」を長期間にわたり抑え続けた結果、ある時、息苦しさを感じたり、喉に異物がある感じを持ったりする。が、医学検査をしても異常はない。

そのうちに、鬱《うつ》症状に襲われる（一昔前は鬱火病と呼ばれた）。不安神経症、パニック障害、強迫性障害、適応障害になったり、時に憤怒調節障害と同様に、相手かまわず怒りをぶちまけたりするようになる。

憤怒調節障害は若い男性に顕著だが、火病は中年の女性に多い。

韓国の際立った家父長支配型家族構成（これは最近、ほとんど崩壊して、むしろ家族のなかでの老人虐待が社会問題になっている）、男尊女卑の風潮が背景にあるとの見方が多く、

日本のネットでは、しばしば「韓国人にだけ現れる精神障害」などとされている。

中央日報（15年6月19日）は「米国精神医学会は1995年、この病気を『韓国民俗症候群』に分類し、疾病《しっぺい》分類表に『Hwa-Byung（火病）』と正式表記した」と伝えているが、「韓国人にだけ……」が正しいのかどうかは不明だ。

それでも「健康保険審査評価院によると、火病で診療を受けた患者の数は年平均（2011―2013年）11万5000人」（前出・中央日報）というから、診療を受けた患者数では、憤怒調節障害をはるかに上回る。

人格障害は欧米の4倍

どこの国でも同じようなものだろうが、マスコミとは、ある時は大騒ぎするが、しばらくすると事態が解決したわけでもないのに、すっかり忘れてしまう。憤怒調節障害も15年は大騒ぎしたが、最近は直接言及した記事をほとんど見かけないようになった。

同様に一時、大騒ぎしたが、すぐに忘れられてしまった「精神衛生上の問題点」がある。人格障害の問題だ。

「20歳の男性の45％が対人関係障害の可能性。この数値は、米国やヨーロッパなど先進国の平均11～18％に比べて、２・５～４倍に達する」（東亜日報03年2月10日）とは、あまりにも衝撃的だ。

「ソウル大学医学部精神科研究チームが、兵務庁で身体検査を受けた20歳の男性５９７１人を調べた」結果だという。

――研究チームは今回の調査で、12種類に分けて人格障害の有無を測定した結果、１種類以上の人格障害があると疑われる人が71・２％に達した、と発表した。

――具体的には、自分にこだわり過ぎて対人関係が円満でない「強迫性」（49・４％）、合理的な問題解決や人とのかかわりを避ける「回避性」（34・７％）、わがままで些細なことにも必要以上に反応し気まぐれな「ヒステリー性」（25・６％）、絶えず他人を疑う「偏執性《へんしゅうせい》」（22・６％）の順で多かった。

――各国の社会文化的背景によって人格障害が疑われる基準点が異なるため、それを考慮して、基準点を高めて分析した場合にも、他国より人格障害可能性の比率がずっと高い。

おそらく、いくつかの障害を併せ持つ人の比率が45％という数字なのだろう。

分類項目に「ヒステリー性」があるところを見ると、この調査では憤怒調節障害も人格障害のなかに含めているのかもしれない。

いずれにせよ「これは見過ごせない問題」と私は思ったが、韓国社会は見過ごした。

兵士の2割がリスク群

それから10年余、最前線の哨所《しょうしょ》で1人の兵士が上官・同僚に手榴弾《しゅりゅうだん》を投げつけ、銃を乱射して脱走する事件が起きた。

爆発音を聞くや、陸軍中尉の哨所長が部下を見捨てて真っ先に逃げたことはさておき、この事件を総括する形で兵務庁が国会に提出した資料をまとめたのが、「兵士全体の10％は精神面に不安抱える『関心兵士』」（朝鮮日報14年6月24日）という見出しの記事だ。要点を列挙する。

――兵務庁は徴兵検査対象者全員の人格検査を実施している。一次検査で異常が認められた者は、臨床心理士による個別面談など二次検査を受ける。

――12年には二次検査で異常が認められた者のうち85％が入隊可能との判断を受け、兵役に就いた。背景には少子化による兵役対象者の不足、兵役期間短縮などがある。

――軍での生活に適応できないか、事故を起こす可能性があるために「関心兵士」に分類された兵士は、比較的程度が軽いC等級も加えると、全体の20％に達する。
――陸海空軍の「関心兵士」のうち高リスク群に相当するA等級は兵士全体の3・6％の約1万7000人。B等級まで含めると、その割合は10％前後。陸軍だけで約4万人に達する。

「韓国軍って大丈夫なの」と尋ねたくもなるが、徴兵制がある国では、兵士の内容分析（コンテントアナリシス）は、ほぼ国民の内容分析にもなる。だから「韓国（人）って大丈夫なの」とならざるを得ない。

成人の1割が治療を要する憤怒調節障害であり、20歳男子では45％に対人関係障害がある。

韓国の政権は、そうした集団に対して国民交渉術を駆使して世論をつくる。そこに〝大声こそ正義なり〟の声闘《ソント》文化が作用する。「対日憤怒」がたちまち燃え上がるのも当然だ。

いや、その前に、政権や軍、あるいは政界やマスコミ界の上層部には、憤怒調節障害を患っている人間がいないのか。いないはずはない。

「ヘイトだ！」と叫ぶ日本人こそ、共産主義型の言論統制論者

以上の論述は、月刊『Hanada』（19年4月号）に収録されている。これを事実上パクったのが、『週刊ポスト』（19年9月2日発売の9月13日号）の特集『怒りを抑えられない「韓国人という病理」』で、「ヘイトだ！」の大標的になった。

元『週刊現代』編集長の元木昌彦氏がこう書いている（プレジデントオンライン19年9月10日）。

――このタイトルと内容は、嫌韓ヘイトに近いものがある。だが、この根拠となっているデータは、15年に韓国の「大韓神経精神医学会」が発表したレポートだとあるから、ポストが捏造《ねつぞう》したものではない。

さらにいえば、月刊『Hanada』（4月号）に、ポストでもコメントを出している嫌韓ライター・室谷克実が「韓国成人の半分は憤怒調節障害」だと既に書いている。何のことはない、この記事のほとんど丸写しなのである。

ポストは本家の記事をそのままパクっているだけ――。

「嫌韓ライター・室谷克実」だって（笑）。俗にいう〝進歩派〟の元木氏としては、記事の内容は否定できない事実と悟る一方で、最大限の侮辱を私に与えたつもりかもしれないが、私は問いたい。

「韓国、反日種族のことが嫌いだと、いけないのですか」と。

韓国のマスコミは、日本でのヘイト（規制）の動きを詳細に報じている。ところが『週刊ポスト』に対する「ヘイト批判」については、ほとんど報道されなかった。

私が気付いたのはハンギョレ新聞（19年9月6日）の「特派員コラム」だけだ。それも、特集の見出しと、出版元の小学館が謝罪したことを伝えただけで、特集の内容には全く触れていない。

「……などと、ひどい嘘を書いている」と、なぜ内容に触れないのか。

嘘ではないからだ。韓国人なら誰でも知っている「常識」に過ぎないからだ。

そんな「常識」を、日本人が日本人に伝えると「ヘイト」になる⁉ 「ヘイトだ！」と叫ぶ日本人こそ、共産主義型の言論統制論者に他なるまい。

6の常識

自営業者大国、貧困のブラックホール

首切りではなく名誉退職だ

韓国人は、自分の国について「○○大国である」「○○強国である」といった形容句を付けることが大好きだ。だからといって、「現在も慰安婦大国である韓国は……」と事実に即して話を始めようものなら、「ヘイト、ヘイト」と猛非難を浴びるのは間違いない。「○○」はプラスイメージの名詞でなければいけないのだ。

では、「自営業者大国」と言ったらどうか。この言葉にプラスのイメージを持つ韓国人は少ないだろう。しかし、「ウソだ」とは誰も言えまい。

自営業者とは、法人としての登録をしていない個人事業主のことだ。農家は典型的な自営業者であり、経済学の常識では産業構造が高度化するほど、自営業者の比率は低下する。経済協力開発機構（ＯＥＣＤ）加盟国の平均は15％前後だが、２０１６年の韓国は25・5％に達する（日本は10・6％）。就業人口の４人に１人が自営業というわけだ。

なぜ韓国は、こんなに自営業者比率が高いのか。「韓国＝自営業者大国」の解剖こそ、今日の韓国社会の仕組みと、韓国人の心理を解き明かす有力な手段になるかもしれない。

韓国の大手企業（従業員数３００人以上）は、16年から法定定年が60歳になった。17年からは３００人未満の企業にも拡大適用された。大手企業のなかには65歳定年のところもある。

こうした話だけ聞いて「日本とほとんど同じだ」と思い込むと、〝トンデモ韓国論〟に陥《おちい》ってしまう。

実際は、法律で「60歳定年」が決まろうと、企業が「65歳定年」の内規を決めようと、それはブルーカラーだけの話であり、ホワイトカラーは依然として「四十五定《サオギヨン》」なのだ。サオギョン——45歳と決まっているわけではないが、40歳代後半から50歳代前半になると、取締役（韓国語では「理事《イサ》」という）に抜擢《ばつてき》される同期生が出る。すると、なれなかった社員は肩叩きに遭うのだ。

肩叩きされての退職を、韓国語では「名誉退職」という。

韓国は「自尊心大国」でもある。日韓軍事情報包括保護協定（ＧＳＯＭＩＡ）や、日本の対韓輸出管理の強化への対応でも、「国としての自尊心」が大きなファクターになった。

韓国のホワイトカラーも自尊心の塊のような存在だ。だから大手企業では、同期から取締役が出るような年齢になるよりも、はるか前から同じようなことが起きる。

たとえば、同期入社の半分が一斉に係長（韓国語では「代理《デリ》」という）に任命されると、なれなかった半分は辞めてしまう。

大学新卒者の半数が就職浪人をするような状況が続いている。そのなかで財閥系大手に就職できるのは、全体の２％ほどのエリートだ。が、そうしたエリートも、３年か５年したら半数以上が脱落するのだ。

こうして大手企業や中堅企業を退社したホワイトカラーは、中小企業に職を求める。係長になれなかった場合は、課長として雇ってくれる会社を選ぶ。課長になれなかった場合は、部長として雇ってくれる企業を狙う。月給がガクンと落ちても、上位の肩書を得れば、彼らは自尊心を守れたと思い、とりあえず精神的勝利感に浸《ひた》れる。

起業ブームの実態

では、「名誉退職」させられた中年世代はどうするのか。大部分は零細企業でもいいから、何とか再就職しようとする。が、50歳前後で、しかも卓越した専門知識があるわけでもない人材を雇い入れるような企業はめったにない。

子供の教育費もかさむ年代だ。わずかな年金にあずかれる日は遠い。そんな窮地から脱するために、それまでの貯えと退職金を元手に、彼らは次から次へと自営業に参入するのだ。

こうした状況を〝韓国人的に〟格好良く説明すると、「韓国では21世紀に入ってから、中年の高級人材が次々と独立する起業ブームが続いています」となるのだろう。韓国人が日本の学生にそう話しているのを聞いて、〝トンデモ韓国論〟の発生を憂えた。

実態は違う。

20世紀終盤の韓国は、自営業者比率が3割台だった。アジア金融危機に伴う内需萎縮で廃業する自営業者が続出し、一時的に自営業者比率は22％まで下がった。そのまま自営業の自然淘汰《とうた》が続くのかと思われたが、21世紀に入ると、また増え始めたのだ。

「高級人材」による「起業ブーム」などと聞くと、ＩＴ部門のベンチャー企業かと思ってしまうが、会社から押し出された人々が起業する分野は、昔も今も小売店と飲食・宿泊業が圧倒的に多い。

宿泊といっても、ホテルを経営するわけではない。民宿・民泊の類《たぐい》だ。

もちろん、なかには大きな元手を投じて起業する人もいる。

朝鮮日報（12年10月24日）の「貧困のブラックホール　自営業720万人時代」という見出しの記事は、大きな元手を投じて失敗した例がいくつも載っている。その1つを要約して紹介しよう。

――建設会社の役員を務め退職したC氏（56）は昨年、5億ウォン（筆者註：当時は1000ウォン＝85円程度。現在は1000ウォン＝90円程度）を投じてソウル・江南《カンナム》地域に70坪の店を借り、大規模な輸入ビール専門ビアホールをオープンさせた。オフィスが密集している地域のためうまくいくと思っていたが、現実は違った。週休2日制の会社がほとんどのため、金曜日の夜から日曜日までは開店休業状態で、平日でも日中は客が入らなかった。売り上げは伸びず、2000万ウォンの店舗賃借料と従業員8人の給料まで払うとなると、赤字は雪だるま式に膨れ上がった。結局、1年もたたずに店を閉めた――。

建設会社の役員だったから5億ウォンもの資金があったのだろうが、下調べもしなかったのだろうか。

この記事に取り上げられている例は、どれも甘い見通し、発作的転職ばかりだ。

日本で「独立して自営になりました」と言う人々は、だいたいのところ、それまでいた会社で培《つちか》った技術やノウハウを活用する業種だ。が、建設会社からビアホール経営へ。建設会社で身に付けた知識のどこを活かせるのだろうか。

ド素人が突然、飲食店経営

しかし、韓国では全くのド素人《しろうと》が、ある日突然、飲食店の経営を始めることが珍しくないのだ。料理人を雇ってきて、自分はレジのところに座っている。法人登録をしていなくても「○○商会社長」といった名刺を持ち、精神的勝利感に浸るのだ。

もちろん、そんな商売が成功する確率は極めて低い。朝鮮日報の記事は、こんなコメントを付けている。

「04年から09年までの統計庁資料を分析した結果、自営業者が多い飲食・宿泊業は年平均12万4000店が新規で事業を始める一方、12万7000店が廃業している」

「起業して3年続いた自営業者は46・4％に留まった。中小企業庁の実態調査では、自営業者が昨年手にした純利益は、月平均149万2999ウォンに過ぎなかった。国民基礎生活受給者（日本の生活保護受給者に相当）＝4人家族基準＝とほぼ同じ額だ。また、自営業者の57・6％は1カ月の収入が100万ウォン以下だった」

念のために述べておくが、韓国の物価水準は日本とほとんど同じだ。

みんなが同じ業種に群がり

それでも自営業への参入は止まらない。21世紀の初頭は、韓国のコンビニエンスストア始動期と重なった。

コンビニ本社とのフランチャイズ契約には、まとまった金が必要だ。中堅会社を押し出されたホワイトカラーには無理でも、大手財閥の退職金を手にした人々にとっては、絶好のチャンスだった。フランチャイズ契約を結び、店舗を借りれば、あとは雇ったアルバイトに仕事をさせ、自分は金の勘定だけをしていればいい。

額《ひたい》に汗する仕事を蔑視する両班《ヤンバン》（李王朝の支配階級）文化がいまなお息をする社会では、理想の起業だった。だから「コンビニ店主への華麗な転身」はマスコミに注目された。

しかし、そんな旨《うま》い商売があるならばと、次から次へと参入者が出てくる。韓国のコンビニは、16年末には3万4376店に達した。

その結果は、ハンギョレ新聞（17年8月9日）によると「1491人に1店の割合」「日本よりも人口比の店舗数が約1・5倍多い」「店舗当たりの売上高は日本の4分の1」という惨状だ。しかも、法定最低賃金がこの2年間で3割も上がった。

19年には「週休制度」なるものが創設された。1週に15時間以上働いた労働者には、週に1日の「賃金付きの休日」を与えなければならないという制度だ。

週40時間働いたアルバイトには、48時間分の賃金を払わなければならないということだ。労働者思いの文在寅《ムンジェイン》大統領様のありがたい労働者優遇政策の1つだ。

もっとも、上に政策あれば下に対策あり。週2日出勤して14時間半だけ働くアルバイトを何人か雇うのだ。アルバイトのほうは3軒のコンビニと契約すればいいわけだが、現実はそうも上手く運ばないのだろう。最近の雇用統計では、短時間労働者（週30時間未満）の比率が増えている。

ありがたい労働者優遇政策がタイムシェアリングを進めて、統計上の失業率を下げている。だが、アルバイトの実収入は減っているのだ。

日本のコンビニは人手不足で24時間営業をやめるが、韓国のコンビニは人件費を払えないので夜間営業をやめている。そして、廃業するコンビニが増えている。

名誉退職した人々が次に群がったのは、チキンの唐揚げ屋だった。ほとんどがフランチャイズで、開業資金はコンビニよりずっと安くて済む。他の飲食店と違って、専門の料理人を雇う必要もない。韓国のマスコミは、ケンタッキーフライドチキンを知らないのだろうか。チキンの唐揚げを、キムチに続く韓国食品であるかのように煽《あお》って報じた。

その店舗数は14年にはピークを迎え、その後は開店より閉店の多い年が4年連続している。だが、それでも19年2月末に8万7千店ある（毎日経済新聞19年6月3日）という。600人に1店の割合だ。

いまや花形起業とされているのがコーヒーショップだ。韓国には昔から「茶房《タベン》」と呼ばれる喫茶店が無数にあった。インスタントコーヒーや人参茶、生姜《しょうが》茶といった伝統茶を供して、そのウエートレスは〝慰安婦兼務〟の場合が少なくなかった。

これに対して、いま続々と開店するコーヒーショップは、日本で言うならばコーヒー専門店に当たる。チキンの唐揚げ屋のように油汚れすることもないから、両班気分をそんなには損ねない。

中央日報（19年11月7日）によると、コーヒーショップは08年には3000店ほどだったが、19年7月末には7万1000店に急拡大した。「チキン店をまもなく追い抜く」勢いという。

同紙によると、ソウル市中区《チユン》にはコーヒーショップが1000人当たり8・8店ある。114人に1店の割合だ。中区は明洞《ミヨンドン》などを抱えるソウルの中心地だが、これは多すぎないか。

店舗面積や経営形態の違いもあり、単純比較はできないが、東京都の喫茶店数は2032人に1店（総務省16年経済センサス）だ。韓国のコーヒーショップも、早々に廃業続出となるだろう。

儲かると見たら、緻密《ちみつ》な計画もないまま、みんな同じ方向に走り出す。そして、すぐに飽和状態になり、倒産・廃業の憂き目を見る。

そうなる可能性が高いことは分かっているのに、次の世代も同じ行動を繰り返す。これは韓国の国民性なのだろうか。

「赤くて暗い国」への道

会社を押し出され、自営業に転じたものの、それも失敗した人々はその後、どんな人生を歩むのだろうか。

早めに見切りを付けて、いくらかの財産を残したまま廃業すれば、そして両班気分を完全に捨てれば職はある。実際のところ、介護部門などでは中高年齢の就業者数が増えている。

しかし、家も失い、借金だけ残った状態だと、もう自己破産を申請して、政府や自治体の失業対策事業にでもすがって生きるしかない。

韓国は「自殺大国」でもある。自殺率は、17年の10万人当たり24・3人から18年は26・6人に上がった。OECDトップの数字だ。

韓国の自殺率の内訳を見ると、70歳代では10万人当たり48・9人、80歳代では同69・8人。韓国の高齢者貧困率がOECDトップクラスであることと無縁とは思えない。

その背景にあるのは、名誉退職→自営業参入→失敗が当たり前のようになっている文化なのではあるまいか。

韓国は「少子化大国」でもある。18年の日本の合計特殊出生率（1人の女性が生涯に産む子供の数）は1・42だが、ここ30年ほどの流れのなかで見れば、05年の1・26を底に持ち直してきつつあるように思える。

一方、21世紀に入ってからの韓国は01年の1・29が最高。ジグザグはあれ流れの方向は減少であり、17年には1・05、そして18年は0・98。19年は0・9を維持できるかどうかだ。戦争があったわけでもないのに、出生率が0・9台まで落ち込んだ近代国家は、韓国が初めてだろう。

若年層は就職口がないので、結婚にも出産にも踏み切れない。それで、出生率が減少を続けるなかで自殺者が増える。文在寅政権下の韓国は、「赤くて暗い国」への道を歩み続けているのだ。

7の常識

開き直る泥棒族

「泥棒」を見付かっても決して謝らない

韓国の駆逐艦による日本の哨戒機《しょうかいき》への火器管制レーダーの照射事件。その展開を見ていて、韓国にやたら多い「泥棒族」のことを思い出した。

外国に旅行に行った人、つまり「金をばらまいて歩く人」として、その国を見た感想と、そこに仕事のため居住していた人間が感ずるところでは全く違うものだ。

韓国旅行から戻ってきた日本人から聞く感想はさまざまだが、私が5年間、ソウルに住んだ感想を手短に語れと言われたら、「泥棒がやたらに多い国」となる。

私がソウルに住んでいたのは、ずいぶんと昔のことだ。しかし、つい最近まで合弁会社の副社長として韓国に住んでいた人物から聞いた話も「泥棒がやたらに多い」だった。変わっていないのだなと思った。

ここで言う泥棒——冒頭に述べた「泥棒族」とは、他人の家に忍び込んで物を盗む窃盗犯のことではない。

会社の事務所で同僚の持ち物をこっそり盗んだり、会社の器物を持ち出し売り払ったり、自宅に持ち帰り使っていたりするような行為だ。これが非常に多いのだ。

朝鮮日報は「小さな横領」と表現していたが、日本人から見たら「泥棒」か「横領」、韓国人からすれば「当たり前の役得」――そんな事例が韓国には溢れている。

同僚が大切にしている小物類を盗む。それがバレたら、韓国人が言う台詞《せりふ》は決まっている。

「ちょっと借りただけだよ」

犯意を否定するのだ。

「フーン、こんな物を盗むものかい」と投げ返して一件落着が多い。だが、時として日本人には信じられない光景が展開される。

「ちょっと借りただけなのに、『盗んだ』とは何だ。謝罪しろ」と始まる。

実は「ちょっと借りただけ」は、泥棒族の対処の仕方としては可愛いほうだ。

韓国人の処世訓《しょせいくん》のような言葉として、「泥棒と言われたら、お前こそ泥棒だと言い返せ」がある。

泥棒をして見付かってしまった。しかし、決して謝らない。韓国人にとって「負けること」「謝罪すること」は、死ぬほどつらいことだ。

なぜ永遠に「謝罪」を要求するのか

だからスポーツ競技でも、どこまでも勝敗に拘《こだわ》る。フェアプレー精神がない。国内の中高校生の大会ですら、父兄やコーチによる審判買収がある。彼らは、どんな汚い手を使っても勝てばいいと思っている。

韓国人はいつの頃からか、そんな精神文化のなかで育ってきた。おそらく、朱子学に染まり切った歴史が影響しているのだろう。

「非を認めること」は、韓国人とすれば「負けること」に他ならない。だから、彼らは「素直に謝る」ことができない。

非を認めて素直に謝れば、周囲はそれで何事もなかったかのように扱ってくれるのが日本社会だ。しかし、韓国は違う。

謝罪したら最後、徹底的に追い込まれる。朴槿恵《パククネ》前大統領がその良い例だ。

そういう精神文化のなかにいるから、自分は謝罪しないが、相手にはしつこく謝罪を要求する。

韓国人は、自分たちの精神文化（彼らの言葉では「道徳性」となる）は優れていると思い込んでいる。物質的な意味での先進国はみな同じような精神文化だが、自分たちの道徳性には劣ると韓国人は信じている。

だから韓国人の口からは、「日本に対して道徳的優位にある我々は……」といった言葉が当たり前のように発せられるのだ。

夜郎自大《やろうじだい》の国というか、国民的な大誤解を抱えていると言える。

慰安婦問題、いわゆる徴用工問題で、いつまで経っても「謝罪」を要求するのは、そうした独善的な精神文化によるところが大きい。

それだから、日本ごときの「道徳的に遅れた国」が謝罪しても認めない。いつまで経っても、「誠意ある謝罪ではないからダメだ」となる。もう付き合いきれない反日種族だ。

加害者から被害者にすり替わる特技

泥棒族の話に戻れば、非を認めず、したがって謝罪もしたくないから、「お前こそ、前に俺の物を盗んだじゃないか」と言い返すのだ。これで相手を面食らわせる。そして、「お前こそ……」と声を張り上げることで、泥棒をしたところを見付けられてしまった弱い立場から、「お前がしたから、こちらもしたのだ」という〝対等の立場〟になって開き直る。

主張の論理性よりも、声が大きいほうが勝つ。俗にいう「韓国の声闘文化《ソント》」だ。

「レーダー照射を受けた」と、日本側が再発防止を求めた（誤解している人が多いが、日本は謝罪を要求しなかった）のに対して、韓国国防省は当初、「わが軍は正常的な作戦活動中だった。作戦活動の際にレーダーを運用したが、日本の海上哨戒機を追跡する目的で運用した事実はない」（聯合ニュース18年12月21日）と述べた。

つまり、レーダーを照射した事実は認めていた。泥棒族でいえば「借りただけ」と、犯意を否定したわけだ。

この時点で、国防省が「正常な作戦活動中」として「北朝鮮の遭難船の救助活動に当たっていた」と言わなかったのはなぜか。私は見逃せないポイントだと思う。

その後、韓国国防省の弁明は「レーダー照射はしていなかった」となり、日本側が証拠映像を公表するや逆切れして、「お前こそ低空で威嚇《いかく》飛行をした。謝罪しろ」と出てきた。

まさに「泥棒と言われたら……」の処世訓どおり、質悪《たちわる》の泥棒族の対応になった。

レーダー照射をした加害者が、威嚇飛行をされた被害者に変わったのだ。加害者から被害者への変わり身の早さは韓国人の特技だ。

GSOMIA破棄で見せた示談屋の手口

韓国企業は「特許侵害」で提訴されるや、まるで既定コースでもあるかのように、数日後には「あちらこそ、我々の特許を侵害している」と逆提訴する。

日本企業は概して国際訴訟に馴《な》れていない。だから、逆提訴されただけでオタついてしまう。ようやく証拠を確保して「泥棒」と訴えたら、「お前こそ」なのだからビックリだ。

韓国企業が「即座に逆提訴」の戦術を取るのは、1つには訴訟馴れしていない相手をオタつかせて争いの主導権を握るためだ。

2つ目には「訴えられている」という弱い立場から脱して、「こちらも訴えている」という〝対等の立場〟を確保するためだ。

逆提訴のための証拠資料は、国際司法では問題とされない標準特許でも何でもいい。ともかく「こちらも訴えているのだ」という〝対等の立場〟を設《しつら》えることが、彼らには何よりも重要なのだ。そのうえで示談交渉を進める。

韓国は、国内的には米国を凌駕《りょうが》するような訴訟大国だ。悪い意味で訴訟馴れしている。国際的には被訴大国だ。

サムスン電子には、社長の肩書を持つ人物だけでも10人近くいる。ある時期、そのうちの1人が「海外訴訟担当・社長」だったという事実を見ただけで、悪い意味での訴訟馴れがどんなものか想像できよう。

脇道に逸《そ》れるようだが、通産官僚を退官後、このポストに3年ほどいた人物こそ、2019年8月、日韓軍事情報包括保護協定（GSOMIA）の廃棄通告を主導した金鉉宗《キムヒョンジョン》大統領府国家安保室第2次長だ。

和解に応じない相手には、様々な国で訴訟を起こし、「消耗戦を辞さず」の構えを見せ、和解交渉に引き込む。

どんな不利な条件であれ、判決の前に和解してしまえば「負けた」ことにはならない。第三者に対しては「向こうも困っているようなので和解に応じてやりました」と言い、当事者に対しては「和解したのですから、この際は未来に向けて……」と、すり寄りを開始する気持ち悪さ。

そんな手口を使う〝国際示談屋集団〟のトップにいた人物だからこそ、「対韓輸出管理の強化を元に戻さないのなら、GSOMIAを破棄する」と言い出したのだ。

GSOMIA破棄は、日本への脅しのつもりだったのだが、日本は一向に動じなかった。それで自縄自縛《じじょうじばく》になり、廃棄通告をせざるを得なくなった。そして米国に「破棄したらどうなるか分かっているな」と脅されると、今度は「破棄通告の効力停止」と言いだした。

日本の「輸出管理の強化」への韓国の対応は、虚勢を張ることで有利に取り引きを進めようとする示談屋の手口そのものだ。

嘘吐き大国の伝統＋声闘文化

レーダー照射事件でいえば、反論の証拠性などどうでもいい。韓国企業が標準特許を材料に逆提訴するのと同じことだ。

4分間ちょっとの反論映像のうち、自前の現場映像はわずか十数秒だった。それが、日本の哨戒機が低空で駆逐艦に向かってくる映像であったならともかく、日本の哨戒機は遠くに豆粒のようにしか映っていない。

そして、あとは海上自衛隊が撮影した映像のパクリ。

「これが証拠だ」と言って、恥ずかしいとは思わないのか。

なかには「恥ずかしい」と思っている韓国人記者もいるだろうが、外に向かっては「相手の映像を使って打ち返した」（韓国ＭＢＣテレビ19年1月4日）と誇るのだから、この鉄面《てつめん》皮《ぴ》は相当に厚い。

ともかく韓国の政権としては、「わがほうも反論映像を公表し、どちらの言い分が正しいのか争っているところ」と、詳しい事情を知らない第三国に言える形式さえ整えればいいのだ。

韓国は「嘘吐《つ》き大国」だ。誣告《ぶこく》罪や偽証罪に問われる人の比率が、日本の何百倍にもなるのだから。

嘘で固めた反論映像の外国語版の数を、日本よりも多くして発信する。「嘘吐き大国」の伝統と声闘文化が交われば、そんなことになる。

もちろん、韓国のネットを見れば、「韓国側の反論映像は主張ばかりで、客観的な証拠を何ら示していない」と指摘する声はある。

しかし、それは日本側の映像も、韓国側の映像もじっくりと見た少数の人々のなかの、ごくごく一部にすぎない。

両方を見た少数の人々のなかの大部分は、実際にどう思ったかはともかく、外に出れば「韓国の反論映像を見て納得した。日本はケシカラン」と始めるのだ。

大部分の韓国人にとっては、「外国との争いごと、わけても日本との争いごと」であれば、もはや映像など見る必要もない。無条件に「韓国の映像のほうが正しい」と合唱することが〝韓国民としての正しい姿〟なのだ。どこまでも歪《ゆが》んだ愛国心だが、これこそ反日種族の常態なのだ。

レーダー照射事件のあと、韓国では「安倍晋三首相は自分の支持率を回復させるため、徴用工判決、レーダー照射問題を利用して嫌韓策動を展開している」などとする陰謀論が出回った。

韓国人が語る陰謀論は、心理学でいう「投影」そのものであることが多い。つまり、「自分たちだったら、そうする」ということだ。

詐欺師のための交渉学

2013年7月、アシアナ航空機が米サンフランシスコ空港で着陸に失敗し、3人が死亡、180人以上が負傷する事故があった。

米運輸安全委員会（NTSB）は、「アシアナ機の操縦ミスによる可能性が大きい」との見方を示した。

アシアナ航空機側は、「着陸の寸前、何らかの光がパイロットの目に入った」などと言った。しかし、「どの映像を見ても、そのような光は確認されない」とされると、言い分はレーダー照射事件のように二転三転した。「米空港の管制ミス」説も出て、ようやく「ボーイングの機体欠陥による」に統一された。

パイロットは操縦ミスの加害者から、機体欠陥の被害者に転身したのだ。

事故からほぼ2週間後、朝鮮日報（13年7月15日）に「NTSBの〝操縦士過失〟論にやられないための5つの啓明」という論説記事が載った。

執筆者は、延世《ヨンセ》大学の交渉学教授を経て、コンサルティング会社を経営する人物。

「交渉学」などという学問があることを、そのとき初めて知った。ゲームの理論や心理学を応用して、1970年代に米国で起こった学問だという。

彼が説く「5つの啓明」の骨子を紹介しよう。
①最初のイメージが大切だから、NTSBの発表に対抗して、積極的な反論を、マスコ

ミを通じて展開しろ。
②米国民がボーイング社の欠陥機の犠牲になることもあると広報し、米国民にボーイング社を「共通の敵」と認識させろ。
③友好的な機関や団体と連合戦線を形成しろ。国際民間航空操縦士協会は大きな力になる。
④政府は外交チャンネルを通じて対米抗議のレベルを高めろ。
⑤次期戦闘機を売り込みたいボーイング社に対しては、韓国の反米感情を高めると損をするぞと圧力をかけろ。
「交渉学とは詐欺師のための学問か」と思ってしまった。

「事故原因の究明を」といった視点がどこにもないことに驚く。

事故原因がどうだろうと、そんなことはどうでもいい。ここは、「韓国人パイロットの操縦ミス」という結論が下されるのを阻止するために、政府とマスコミ、航空機会社は挙げて対米世論工作を推進しよう——というのだ。

日本人から見たら、非常識きわまる論説だ。しかし、こんな論説が韓国の一流紙に堂々と載る。その背後には、対外国との争いごとであれば、韓国人たる者は無条件に韓国側を応援すべきなのだという〝国民的常識〟があるからと見てよかろう。

韓国の国民性を解剖するうえで格好の論説記事と思ったが、朝鮮日報はとうとう日本語サイトにこの記事をアップしなかった。

韓国は反米意識が強い国だ。文在寅《ムンジェイン》政権の支持派は完全に反米派だ。しかし、比率としては格段に落ちるとはいえ、保守派の親米感情は強い。

これに対して、韓国における日本は、文在寅政権を支持する左翼も、文在寅政権を批判する保守派も反日種族だ。

最高裁が滅茶苦茶な判決を下せる背景

米国で起きた飛行機事故――本来、紛争ダネではないのに、「米国との闘い」の構図に仕立てて、国民挙げて米国と対決しようと勇《いさ》む国なのだ。

日本との争いごとになれば、事の是非や証拠の検証など一切を無視して、決して日本側には与《くみ》しない巨大な世論層がある。それが分かっているから、韓国軍部は強気になれる。

パクリばかりの反論映像でも国民の支持を得られることが分かっている。だから、反論映像のお粗末な出来栄えも気にしないのだ。

思えば慰安婦問題も、いわゆる徴用工判決も、「日本との争いごと」という1つのカテゴリーのなかにある。

「20万人の少女が強制連行された」「その大部分が虐殺された」……どんな嘘を振りまいても、韓国の絶対多数の世論から支持される。だから妄想型フィクションが膨らんでいく。

「日韓条約と経済協力協定を読んでみろ」と言ったところで、誰も読まない。おそらく、韓国人の大部分は条約文を読みこなす能力もない。

いや、能力があろうとなかろうと、関連文書を読もうと読むまいと、反日種族の結論は初めから「日本が悪い」に決まっている。

だから韓国の最高裁は、「日本の不法な植民地支配」との独断と偏見から始まる滅茶苦茶な判決を安心して下せられる。

脇道に逸《そ》れるが、文在寅大統領は2019年1月10日の記者会見で、いわゆる徴用工判決について「日本が不満を表明するかもしれないが、韓国の司法府を尊重しなければいけない」と述べた。

では、日本の裁判所が同じ原告、同じ訴えに対して棄却していることは尊重しなくてもいいのか。きっと、彼の脳内には「道徳的に上」である韓国の判決しかないのだろう。

次は後ろから撃たれる

話をレーダー照射事件に戻す。

泥棒族の視点に立てば、「お前こそ泥棒だ」と声闘したことで、立場は五分五分になった。

次のステージは、五分五分の立場の固定化だ。企業の特許紛争でいえば、わけの分からない和解に持ち込み、話を有耶無耶《うやむや》にしてしまうという戦術だ。

そのための儀式として韓国が求めたのが「実務協議」だ。

厳しく対立しているようだから、ここは双方の軍事の実務者が証拠を持ち寄り、真摯《しんし》に話し合いをして解決しましょう――悪魔の囁《ささや》きだ。

それは1月14日、シンガポールで実現した。

しかし、予測どおりの展開だった。韓国側は「日本側が捉えた周波数」の提示を要求した。これに対して日本側が「双方が提示」と切り出すと、韓国側は拒否した。

つまり、「真摯に話し合ったが、平行線に終わった」、五分五分の立場の固定化に資するだけに終わった。事実上の棚上げ・有耶無耶《うやむや》の決着への道程だ。泥棒族が目指すモデルコースを歩んだといえる。

これを前に日本のテレビに出てきた海上自衛隊の元海将が、「実務協議で話し合うべきです」と述べていたのには驚かされた。

この元海将は、「(韓国海軍は) 本当はすぐに謝ろうと思ったのに、発言させてもらえないままなんだろう」と〝韓国海軍性善説〟まで述べた。

海上自衛隊は、韓国・鎮海《チネ》港への自衛艦の入港拒否、日米韓合同軍事演習への韓国の参加拒否、済州《チェジュ》島での国際観艦式での旭日旗《きょくじつき》問題……と、何度も煮え湯を呑まされてきた。

それなのに、防衛省・自衛隊の高級幹部、あるいはそのOBたちがいまだに「国と国との関係は悪くても、韓国軍との間には信頼関係がある」などと〝親韓情緒〟いっぱいであることは何とも不可解だ。

稲田朋美氏も、その時期に敢《あ》えて「韓国軍と自衛隊の関係はむしろ良好だ」とインターネットテレビで語った。稲田氏は防衛相在任中、よほど防衛省・自衛隊幹部から「韓国軍は信頼できる」との情報をたたき込まれたのだろう。それが、この発言につながったのだと想像する。

そんな〝親韓情緒〟が溢れているから、防衛省は当初、証拠映像の公開に抵抗したのではないのか。

かの交渉学の権威が「友好的な機関や団体と連合戦線を形成しろ」、つまり敵のなかに味方をつくれと説いているのを想起せざるを得ない。

よもや、防衛省・自衛隊上層部の〝親韓情緒〟が、韓国軍部による長年の〝濃密接待〟の結果とは思いたくないが。

韓国の左翼政権は17年10月、中国に対して「三不の誓い」を捧げた。米国のミサイル防衛網には参加せず、日米韓の安保協力を発展させないというのが、その骨子だ。

この時点で、韓国軍は戦列を組める相手ではなくなったのだ。

韓国国防省は19年1月15日に公表した「18年版国防白書」で、北朝鮮を「主敵」とする基本認識を正式に放棄した。

「三不の誓い」でレッドチーム入りした韓国の「主敵」は、もはや日本でしかない――そう認識していないと、次はレーダー照射どころか、後ろから撃たれるぞ。

8の常識

「旭日旗狩り」の実態

世界中からデザイン追放

この暑さ、昔風の「冷やし中華」を食べたくなり、中華料理店へ。出てきた「冷やし中華」を見て、韓国のある老人を思い出した。猛烈な反日・愛国者なのだが、仕事でしばしば日本に来た。彼と「冷やし中華」を食べたことがあった。

焼き豚、キュウリ、クラゲ、錦糸卵《きんしたまご》、モヤシが放射状に配され、真ん中に紅生姜《べにしょうが》――まさしく旭日旗模様《きょくじつき》だ。彼は「日本の食べ物は見た目にもきれいだね」と喜んで食べていた。

いま韓国では、魔女狩りならぬ「旭日旗狩り」が燃え上がっている。慰安婦、戦時徴用と並ぶ第三の「反日の軸」として浮上しつつある。

「節操なき日和見《ひよりみ》新聞」とでも言うべき中央日報は8月上旬、「戦犯旗根絶特別企画」という連載をした。「戦犯旗」とは、旭日旗のことだ。韓国の大手紙が「戦犯旗」という用語を使った初めてのケースだ。

「旭日旗狩り」の主張は、いちおう「日本の軍国主義の象徴だから……」と始まるのだが、旭日旗そのものを世界中からなくしてしまおうというだけではない。旭日旗を連想させるデザインはすべて世界中から追放しなくてはならないというのだ。

旭日旗と基本的に同じ意匠《いしょう》で、白い部分を黄色く染めたマケドニアの国旗に文句を付け、スニーカーのゴム底の模様が旭日旗を連想させるとして、不買運動を起こす。足を広げたズワイガニが描かれた包装紙まで「ケシカラン」と始める。もうビョーキとしか思えない。

この運動を進める韓国人が腹をすかしている時に、「冷やし中華」を御馳走したら……と想像すると笑いが止まらない。しかし、反日・愛国者の老人が「冷やし中華」を喜んで食べたのはなぜだ。

「旭日旗狩り」運動そのものの歴史が浅いからだ。実は「反日」で飯を食っている活動家が焚《た》きつけ、マスコミに売り込み、育て上げた、つくられた反日材料なのだ。

歴史が浅いからといって、韓国社会に旭日旗に対する反発がなかったわけではない。むしろ、旭日旗や日章旗も含めて、日本のすべてに対する憎悪は日本の敗戦と同時に燃え広がった。

日本の士官学校への応募者が定員の50倍を超えるような状況にあり、日本が渡航禁止令を出したのに日本に渡って働こうとする朝鮮人が溢《あふ》れていた。それなのに、一夜にして、みんな「反日派だった」ことになった。自分も反日派であるからには日本の悪口を言わねばならない――こういう処世《しょせい》の心理から戦後韓国の反日は始まったのだ。

88年のソウルオリンピックの時、地下鉄のなかで日本の友人と話していると、「ここは韓国だ。日本語を使うな」と怒鳴った男がいた。そう怒鳴り声を上げることが、韓国では「格好いい愛国者」なのだ。

「お前は日本に行ったら韓国語を使わないのか」と怒鳴り返すと、男は「韓国人が日本語を使っていると思ったもので……」と言って逃げて行った。

ソウルの日本人学校生徒が手作りの日の丸の小旗を持ってマラソンの応援をしていると、韓国人の男が小旗を奪い取り、柄《え》を折って踏みつけたこともあったと聞く。

そんな状況だったのに、なぜか旭日旗は問題にもされなかった。それは、旭日旗の〝対韓再進出〟が極めて少なかったからかもしれない。

旭日旗を知らない世代

07年には、人気歌手チャン・グンソクが日章旗を付けたオートバイに乗って批判されたのに続き、歌手グループＢＩＧＢＡＮＧのメンバーの１人が、両胸に旭日旗の模様があるジャンパーを着てテレビに出演し、批判された。

テレビ局のスタッフは、「そのジャンパーはまずい」とは考えもしなかったのだろう。

これを報じた朝鮮日報（07年9月11日）は、「旭日昇天旗（筆者注＝つい最近まで、韓国ではこう呼んでいた）は、太陽と陽光を形象化した旗で、第二次世界大戦当時、日本海軍が使用していた軍国主義の象徴だ」との説明を付けている。

そんな説明を付けなければならないほど、旭日旗は若い世代には知られていなかったのだ。

記事はネットの書き込みとして、「ただの日章旗ではなく、旭日昇天旗を両胸に……。こんな服装でテレビに出るのは控えるべきではないか」とする意見を紹介する一方、「ファッションはファッションに過ぎない」という反応も伝えている。

記事そのものが芸能欄にあり、「親日ファッション《ファビョン》をめぐるネット論争」の紹介なのだ。

今日のように、旭日旗＝戦犯旗を見たら「国民総火病」といった状況とは、まるで違った。日を置かずして、日本の自衛艦3隻が仁川《インチョン》港に親善寄港した。戦後初めてのことだった。仁川の左翼団体は抗議行動をしたが、その主たる矛先は歓迎行事に出席した韓国の要人たちに向けられていた。

聯合ニュース（韓国語サイト07年9月14日）は、「仁川連帯、旭日昇天旗の戦闘艦入港を糾弾」との見出しで左翼団体の主張を伝えた。が、「旗」という文字は、日本語訳で約２７０字の本文中に一度しか出てこない。

添付写真があり、その説明は「翻《ひるがえ》る旭日昇天旗　12日仁川港に到着した日本海自練習艦『かしま』の船上で乗船員たちが旭日昇天旗をきれいに手入れして下船準備をしている」とある。

今日なら、旭日旗の写真を配信したこと自体に、そして「写真説明が日本に好意的だ」として、聯合ニュースは猛烈な抗議に見舞われていることだろう。

誤解がないように述べておくが、韓国人がすべて「旭日旗狩り」をしているわけではない。ごく少数の活動家の煽《あお》りにより、決して少なくはないネット世論の主流派が「旭日旗狩り」のビョーキに取りつかれる。そうなると、その他大勢は異論を唱えられなくなり、マスコミもそれに靡《なび》く。

職業的反日屋の指摘と提唱 → ネットでの賛同意見の拡散（おそらく情報機関の「心理戦団」＝ネット工作集団が関与している）→ 同調者が急増 → 異議を唱えにくい社会的雰囲気の醸成 → マスコミも同調 → 表舞台から反対意見が消滅。

これが反日種族の内部で、新たなタネによる反日運動が巻き起こるパターンだ。慰安婦、戦時徴用、旭日旗問題、そして19年7月から始まった対日不買運動も、同じことだ。

大きな契機となった猿真似パフォーマンス

いつから韓国人は、「旭日旗狩り」に狂奔《きょうほん》し始めたのだろうか。

大きな契機になったのは、11年1月のサッカー・アジアカップの準決勝、日本対韓国戦で、奇誠庸《キソンヨン》がPKを決めた直後に猿真似パフォーマンスをしたことだ。猿真似は韓国で日本人を侮辱する際に、しばしば演じられる。日本を批判する韓国ネットの書き込みには頻繁に、「(日本)猿ども」という表現が出てくる。

奇誠庸は批判を浴びると、「観客席で振られていた旭日旗を見てカッとなった」と言い訳した。「観客席で振られていた旭日旗」の証拠映像はまったく出てこないが、この言い訳で奇誠庸は韓国のネット主流を味方にした。すなわち、「旭日旗狩り」の種火を灯したのだ。

11年12月、MBCテレビが創立50周年特集と銘打ってドキュメンタリー『南極の涙』を放映した。南極の基地で過ごす7カ国の研究者たちの生活をまとめた内容だ。そのなかに、日本の越冬隊員が出航する南極観測船「しらせ」に向かって旭日旗を振る場面があった。それでＭＢＣはたちまち「視聴者たちに袋叩きにされている」（韓国経済新聞・韓国語サイト11年12月24日）状態に陥《おちい》った。

ネット書き込みは、「日本の放送かと勘違いした」「直《ただ》ちに該当部分を削除して謝罪しろ」「後続作は『福島の涙』にしろ」などなど。

07年に聯合ニュースが、自衛艦で旭日旗の手入れをする乗組員の写真を配信した時とは、状況がまったく変わっていたのだ。

中央日報の日本語サイトで「旭日旗」を検索してみると、２０００年から10年までの11年間に１本しか出てこない。猿真似があった11年には５本（うち奇誠庸に関するものが３本）になり、12年14本、13年25本と増えていく。もちろん、すべてが「旭日旗狩り」の記事だ。

猿真似サッカー選手の新婚旅行先は日本

日本の朝鮮史学の始祖《しそ》ともいうべき今西龍《いまにしりゅう》博士（京都帝大と京城帝大の併任教授）は、昭和初期の朝鮮人を観察して「扇動に乗りやすい民族」と看破《かんぱ》したが、今日の韓国人も変わらない。

テレビのコメンテーターが科学的根拠もなく、「韓国人は体質的に狂牛病にかかりやすい」と述べたことから始まった米国産牛肉の輸入阻止を要求する大ロウソクデモ。これまた無責任な「セウォル号は米原潜と衝突して沈没した」との大嘘コメントから始まった〝真相究明要求〟は、まだ続いている。

朴槿恵《パククネ》政権の倒壊も、〝三百代言《さんびやくだいげん》グループ〟がネットで展開した大嘘情報に操られた部分が大きい。

旭日旗の場合は、「反日＝愛国＝正義」という病的な思い込みがすでにあるから、小さな種火がたちまち燃え広がる。

そうした意味で、韓国の反日運動のなかに占める奇誠庸の〝功績〟は極めて大きい。奇誠庸は13年に結婚した。新婚旅行先は日本だった。奇誠庸の脳内構造は、どうなっているのだろうか。

「駅前の円形の噴水を上から見ると、（パイプの配置は）間違いなく旭日旗のデザインだ。取り壊せ」

「あの小学校の校章は旭日旗の上の部分を使っている。校章を変えろ」

「東学農民革命記念公園の花壇の植栽配置が旭日旗の形になっているのは許されない」

「あの外国人俳優のブロマイド写真の背景は、放射状の光が広がっている。旭日旗を賛美する陰謀だ。抗議しよう」

「米ペンシルベニア大学の食堂のステンドグラス（筆者注＝1928年に設置）のデザインは旭日旗に似ているから、大学側に撤去するよう申し入れたが断られた。不当だ」

ビョーキは亢進《こうしん》していく。

旭日旗ファッションを堂々と販売

「韓国の常識は、世界の非常識」とは、日本の韓国ウオッチャーの間で有名なフレーズだ。中国の韓国ウオッチャーのなかにも同じような見方が広がっているらしいが、韓国人の大部分は「韓国の常識は、世界の常識」と思い込んでいる。

だから韓国人にとっては、「旭日旗＝戦犯旗の存在を許してはいけない」は韓国の常識だから、世界中が同じように思っているはずなのだ。

ところが、国際サッカー連盟（ＦＩＦＡ）に「日本の戦犯旗ユニフォームをやめさせろ」

と提訴しても相手にされない（そもそも、リオ五輪での日本のサッカーチームのユニフォームのどこが旭日旗模様なのか、私には分からない）。

韓国がこれだけ燃えているのに、世界の有名ブランドからは次から次へと旭日旗模様をあしらった製品が出てくる。〝国技〟であるサイバー攻撃をかけるのだが、大手メーカーはまったく怯《ひる》まない。そればかりか、韓国の若者が、そうした製品を「格好いい」と買い求める。ネット主流はますますいきり立つ。

日本軍と戦った米軍なら旭日旗を恨んでいるはずと信じていたら、米軍の部隊エンブレムのなかには旭日旗そのもののようなものまで多々ある。

旭日旗を「戦犯旗」と言い換え、「ナチスのハーケンクロイツと同じだ」と宣伝すれば、ヨーロッパでは効き目があるはずと思っていたら、15年12月、ノルウェーのオスロで行われた軍事パレードに旭日旗が登場した（おそらく自衛隊が招かれたのだろう）。

早速、在米韓国人団体が中心になってノルウェーに厳重な抗議をした。

これでヨーロッパは大丈夫と思っていたら、18年7月、フランスの軍事パレードに自衛隊が招かれ、男女の自衛官が日章旗と旭日旗を掲げてパリの中心部で堂々の行進をした。

韓国人にとっては、よほどショッキングな出来事だったらしい。

中央日報（18年7月16日）は、「ナチス・ドイツの象徴であるハーケンクロイツ模様の使用は厳格に禁じられているが、同じ意味を持つ日本の旭日旗を国家的行事に堂々と掲げて行進することを許した」とフランスを非難した。

さらに、「ロシアワールドカップでも旭日旗ファッションが堂々と販売されていた。国際サッカー連盟のユニフォームと応援物品販売サイトでも、旭日旗模様が描かれたTシャツなどを購入することができる。また、名品ブランドのディオールは、今年4月に中国上海で開かれた18春夏ファッションショーで旭日旗を連想させるようなドレスを公開」と、普通の韓国人が知らないような動きまで紹介した。きっと〝わが力のなさ〟を嘆き、読者に奮起を促《うなが》して、「戦犯旗根絶特別企画」に引っ張っていく意図が働いていたのだろう。

朝日新聞に「社旗を変えろ」とサイバー攻撃を

特別企画の第1回（18年8月6日）は徐坰徳《ソギョンドク》（中央日報は徐敬徳としているが、韓国ウィキペディアでは徐坰徳）誠信《ソンシン》女子大学教授のインタビューだった。

彼こそ、猿真似パフォーマンスの種火を煽いで回った中心人物だ。「韓国広報専門家」と自称しているが、実態は〝反日屋〟だ。エチオピアに送るといってメーカーに提供させた衣類を売り払い、詐欺罪で告発された過去もある。

彼は浅草で旭日旗を販売している店を発見するや、日本の観光庁に「販売をやめさせろ」との書簡を送ったというから、手が付けられない重症だ。

8月9日の特別企画は「戦犯旗禁止法が必要だ」との主張（13年に議員提案されたが、審議未了廃案になった）。また、「（政府は）自分たちがすべき仕事を民間団体に押し付け」ているとして、政府の尻を叩いている。

韓国の政権は反日の材料を求めているが、陸自・海自の公式旗である旭日旗には容易に踏み込めまい。

それより、良い手があるよ、徐坰徳クン。朝日新聞に「社旗を変えろ」とサイバー攻撃を仕掛けることだ。親韓左翼新聞は従うかもしれない。

9の常識

反日ガラパゴス国家の反日教育

朴正熙は親日派なのか？

韓国の「反日ヘイト」を乱造する最大のメカニズムは教育だ。これは是正させようにも、反日教育しか受けていない教員しかいないのだから難しい。彼らにとって、「反日の言動」は「日常の正しいこと」であり、日本人がなぜ是正を要求するのかも理解しないだろう。

そうではあれ、小学校の教員が生徒を引率して、日本糾弾の集会に行く。それを大手メディアが「児童への政治教育」といった問題意識の欠片《かけら》も見せずに記事にしているのだから、行きつくところまで行っている。

私が時事通信社のソウル特派員だった昔のことだ。その頃も「親日派」とは「非国民」「売国奴」と同質の言葉だったが、時として周囲を気にしながら、小声で「私は日本が大好きなのです」とささやく人がいた。そうした人たちは日本語が堪能だった。

この種のスリ寄りには充分に気を付けなくてはならないが、突き放すわけにもいかないから、軽く飲みながら話をする。

乾杯するやいなや、「ソウルの日本企業に就職口はありませんか」となる輩《やから》もいた。ともかく、それも韓国取材の1つだ。

概して高齢者は、本気の親日だった。

警察幹部だった老人は「朴正熙《パクチョンヒ》が親日派だったのかどうかは、よく分からない。ただ明らかなことは、自分が親日派と非難されるのを避けるために、反日教育を放置した。〝赤い教員団体〟(全国教職員労働組合＝全教組のこと)の勢力拡大に手を貸したのも同然だ」と語った。

彼の話を聞くまで、私は「朴正熙は親日派だった」とする〝日本の常識〟のなかにいた。だから、反日教育にブレーキを掛けてきたはずだと思い込んでいた。

韓国の反日教育は、日本の敗戦と同時に始まっていた。「立派な臣民」になることを目指していた人々が一夜にして、ひそかに独立運動を支援していた「反日の愛国者」に革面(カクメン)したのだ。

のっけから脇道に逸《そ》れるが、革面とは「ツラをあらためる」と訓《よ》む。「君子豹変、小人革面」(易経《えききょう》)という。日本のメディアには「強盗に豹変」などと出てくるが誤用だ。豹変は、君子たる人物のきっぱりとした態度修正に使う言葉だ。

反日種族は豹変ではなく、元の姿に革面したのだ。教員も革面した。革面する場合は、理屈付けとしてのファンタジーが必要だ。

「実は、日帝はこんなに悪かったのだ」

「私もこんな被害に遭い、ひそかに……」

いまに伝わるファンタジックな「日帝の悪行」のかなりの部分は、この時期に創作されたのだろう。

しかし、朝鮮の少女が日本の兵隊により強制連行され性奴隷になった――という大嘘は、戦後のファンタジー日帝悪行史の創作過程でも、誰も思いつかなかったのだ。

裏に従北型のマルクス主義

戦後20年も経てば、戦後の反日教育を受けた世代が教師になる。日本統治時代の記憶はほとんどない世代だ。実質定年の早い韓国社会では、日本統治を体験した世代は、社会の第一線から急速に退いていった。

実際の日本統治は知らない。しかし、それが極悪だったことは教育により知っている――1980年代には、教員はそうした世代ばかりになった。

その頃の世論調査では、日本統治を実際に知る世代ほど「反日の度合い」が低く、日本統治を知らない世代では、高学歴者ほど「反日の度合い」が高かった。「韓国の反日」は教育により造られているのだ。

朴正煕政権は「従北派」「共産主義者」を取り締まった。

しかし反日派には手を付けなかった。反日活動家を増やし、先鋭化させることは北朝鮮の利益に合致《がっち》する。それでも、「親日派」非難を浴びるよりは政権運営上はマシと判断したのだろう。だから、反日派は従北派の格好の隠れ蓑になった。朴槿恵《パククネ》政権が、北朝鮮に強い姿勢を取りながら、従北派が支配する慰安婦支援団体を野放しにしたのと同じだ。

裏に従北型のマルクス主義が潜んでいる反日教育が、半世紀近く韓国で続いてきたのだ。だから、韓国人は反日だけでなく、反米意識も強い。韓国人の反企業意識の強さには、外国人経営者がしばしば驚きを表明している（たとえば、朝鮮日報2004年8月1日）。

ただ、それは韓国人が政治理論としてのマルクス主義に心酔しているからではない。マルクス主義の文献など、読んだことがある韓国人はほとんどいないだろう。

しかし、裏に従北型のマルクス主義が潜んでいる反日教育が、「日本」「米国」だけでなく、「企業」も「資本主義」も嫌悪する感覚を、半世紀近くかけて育《はぐく》んできた。

だから、文在寅政権の社会主義経済政策が大失敗を重ねても、核心的支持基盤は揺るがないのだ。失敗した社会主義経済政策の代表が、法定最低賃金の大幅引き上げを主軸とする所得主導成長政策だ。

所得順に5分割した所得階層で見ると、第1分位（最下層）は最低賃金の引き上げで「もう雇いきれない」と解雇されたり、出勤日を減らされたりして、分位全体としては勤労所得が減った。第5分位（最上層）や第4分位は、最低賃金の引き上げに伴う玉突き効果で給与が大幅にアップした。結果として所得格差は拡大した。

社会主義経済政策としては大失敗だ。ところが、第5、第4分位こそ文在寅政権の支持基盤だ。大企業に勤める高学歴者（すなわち反日傾向が強い人々）はもちろん、過激労組の組合員もだいたいのところ第5、第4分位にいるのだ。

比較的貧しい層に反共意識の強い保守派が多いのは、朴正熙時代から変わっていない。

幼稚園から刷り込み

韓国では、小学校どころか幼稚園の頃から、反日の刷り込みが始まる。

幼稚園では、国策歌謡ともいえる「独島《ドクト》（日本名・竹島）はわが土地」を合唱する。

小学校の社会科教科書に、慰安婦問題が出てくる。「慰安婦は最後には虐殺された」という映画由来のファンタジー記述だ。

そんな教育だから、韓国空軍機が日本を爆撃する絵を小学生が描く。それが表彰され、駅に飾られる。そんな絵を見て、大人が眉《まゆ》をひそめることもない。なぜなら、「日本は悪い存在だ」は全国民的に疑うこともない正しい常識だからだ。もしも「こんな絵は……」と言おうものなら、たちまち「親日派」のレッテルを貼られてしまう。

最近の学校では、日本原産の樹木の伐採や、親日派が作詞や作曲をした校歌の変更などが行われている。

戦前からある校歌の作詞者や作曲家が、なぜ親日派と分かるのか。民間の反日団体が編《へん》纂《さん》した『親日人名辞典』があるからだ。高価本だが、ソウル市など一部の自治体は各学校に購入予算を配分している。

黒田勝弘氏が書いている。

――韓国社会の反日感情は日常的にはほとんど後退し、日本人が感情を直接ぶつけられることはまずない――。

そういう反日気運の退潮期の話だ。

――そんな中で意外に子供たちが反日をむき出しにする。

小学生の子供が日本人を見てママに「ナップンサラム（悪い人）！」と言っている場面に出くわしたことが何回かある。日本人居住者が多いマンション街の公園で遊んでいた日本人の子供が、韓国人の子供に石を投げられるということもある（産経新聞２０１３年７月20日）――。

大人には、いちおう配慮の精神があるが、子供は習ったとおりに反応するのだ。

毎週、ソウルの日本大使館前で、慰安婦問題をテーマに開かれる「水曜集会」には、いつも小中学生が参加する。学校の教員が引率してくるのだ。参加する順番が決められているのかもしれない。

現場からのルポは、こう伝えている。

――この日は小学生の代表が壇上に立ったが、１人の男子児童がハルモニ（元慰安婦のお婆さん）に宛てた手紙を読み始めると、会場はさらに盛り上がりを見せた。

「イルボンノムドゥル（日本の野郎ども）」

そんな言葉が男子児童の口を突いて出てきた（ＮＥＷＳポストセブン２０１９年5月2日、

藤原修平）――。

小学校5、6年生になれば、立派な反日戦士なのだ。

陸士生の34%が「主敵は米国」

「反米」も刷り込まれている。

米国人男性（60歳）が自分のマンションの入り口付近で会った十代の少女に「アメリカ人か」と聞かれ、「そうだ」と答えると、「ゴーホーム」と叫ばれたという話が朝鮮日報（2004年5月31日）に載っている。

時期としては同じ頃の話になる。

――金忠培《キムチユンベ》元陸軍士官学校校長（現国防研究院長）が最近明らかにした「2004年1月陸士仮入校生意識調査結果」は衝撃的だ。当時250人の仮入校生たちに、「韓国の主敵は誰か」と問うと、34%が米国を挙げたという。北朝鮮と言った回答は33%だった。驚いて理由を聞いてみると、「全国教職員労働組合の教師にそう習った」というのだ（東亜日報2008年4月5日社説・韓国語サイト）――。

他の大学ならいざ知らず、陸軍士官学校の新入生アンケートの結果がこれだ。

東亜日報の社説は続く。

――青少年時代に学校で学んだことは、簡単には消えない。彼らのように全国教職員労働組合の教師の意識教育にさらされた多くの若者が、親北反米連帯の先鋒《せんぽう》に立ったのを私たちは目撃した。……歪曲《わいきょく》された歴史観と安保思想を正す社会的運動が続かなければならない――。

「歪曲された歴史観と安保思想を正す」――ここに、日本に対する歴史観が含まれていないことは言うまでもない。

「主敵は反米」で固まった将校にとっては、在韓米軍との合同軍事訓練の取りやめは大歓迎に違いない。

自称親日派も充分に反日

話を前に戻す。「実は、私は親日派です」と近づいてくる韓国人のなかには、日本語をかたことで話せる学生もいた。こちらからも質問をする。

そうして聞いてみると、彼が語る歴史知識は、まさしくファンタジー日本罪状史だった。「李舜臣《イスンシン》将軍が加藤清正を追い払った」には、笑いを噛みこらえるのに苦労した。そのおかげで、彼の話をしっかり覚えている（念のため、李舜臣は水軍、加藤清正は陸戦部隊）。「日帝から収奪されていなければ、李氏朝鮮は日本と並ぶ経済大国になっていたでしょう」といったことを彼は話した。

李氏朝鮮は日帝に収奪された――そんな歴史認識を持っていて、なぜ「親日」になれるのか。

最近、日本の中小企業の経営者から、面白い話を聞いた。

「私は親日派です、という韓国人留学生をアルバイトに雇った。ところが、彼の話は反日・嫌日一辺倒なのですよ。従業員たちは呆れている。それでも彼は、私は韓国人のなかでは親日派ですと言う」

韓国社会全体が、ひどい反日・嫌日の精神状況にある。そのなかで、主流よりはやや反日度が薄いと自覚する韓国人は、心ひそかに「自分は親日派だ」と思えるのだろう。

しかし、日本人から見たら充分すぎる「反日・嫌日派」なのだ。彼らは心の底から「日本は悪い」と信じつつ、「それでも自分は他の韓国人ほど反日ではない」と自覚し、日本と仲良くすることで実利を得ようとする。それで彼らの行動は、「用日」（日本を利用するという意味）の域を出られないのだ。

『反日種族主義』は快挙だが

2019年7月に始まった日本製品不買運動のなかでは、学校にある日本製の複写機、プリンター、音響装置、映像装置などに「これは日本の戦犯企業が造った製品です」と書かれたステッカーを貼る条例案が、ソウル市や京畿道《キョンギド》議会などで圧倒的多数で可決された。ひそかに政権から「そこまでやるな」との指示があったのではないだろうか。どこの条例案も、議会は圧倒的多数で通過したものの、首長の署名を得られないまま会期切れになった。

とはいえ、日常の反日教育で、生徒の頭のなかはもう「日本は悪い」でいっぱいだろうに、議員まで「もっとやれ」と乗り出してきたところが、さすが反日種族の国家だ。

こうした国情の下で、李栄薫《イヨンフン》元ソウル大学教授らが、韓国人の頭を支配する歪曲された対日史観を、一次資料に基づき論破した『反日種族主義』の刊行に漕ぎつけた勇気と努力に敬服する。

ソウル市民の36%は、漫画本も含めて1年間に1冊の本も読まなかったという調査結果がある(中央日報2008年9月19日)。そんな国で13万部も売れたとは快挙だ。

しかし、だからといって韓国人の反日の根幹に陣取る歴史観が変わるだろうか。

購読者のほとんどは、日韓関係史の真実をすでに知っていた人々なのではあるまいか。

そうでない韓国人の場合は、すでに倭・日帝の悪行史が脳内に充満していて、ミリほどの修正の余地もない。だから、少し読んだだけで「こいつら、何を言っているのだ」と〝火病《ファビョン》〟を起こすだけだろう。

いっそ、韓国が反日教育をますますファンタジー化して、世界中から「反日ガラパゴス国家」と嘲笑《ちょうしょう》されることが、反日種族を覚醒させる早道かもしれない。

10の常識

ここまで劣化した反日

半島の伝統的ご都合主義

以下、記すことは、2019年7月に反日不買運動が起こる前の状況だ。ここに記すような「日流の氾濫《はんらん》」状況に、〝真の反日派〟は苦虫を嚙み潰すような日々を過ごしていたのだろう。

だからこそ、日本の対韓輸出管理の強化が発表されるや、「ここぞ」とばかり、反日不買運動が巻き起こったのだ。その本質は「韓国内の日流撲滅運動」と言える。

まず日流に対置される韓流の話から始めよう。

「ドイツでもKポップスが大人気」「韓流に嵌《はま》るイギリス人」といった見出しが韓国紙には躍っている。先日も居酒屋で、日本語を話せる韓国人が、日本人に韓流の自慢をしていた。韓国の新聞を眺めていたら、きっと「韓流が世界を制する」と思えてくるのだろう。

しかし、韓国の新聞を眺めるのではなく読めば、狭義の韓流（韓国ドラマやKポップス）の海外売り上げの8割近くが日本市場に依存していることが分かる。

のっけから脇道に逸《そ》れるが、韓国人の多くは新聞やネット、あるいは製品の説明書をじっくり読むことがない。眺めて終わる。

それは、韓国人一般の文書読解能力が、世界レベルで見ると、かなり劣っていること（ＯＥＣＤ「国際成人力調査」）に由来するのだろう。

だから、いわゆる徴用工判決について「公開されている日韓条約の交渉資料を読め」と、普通の韓国人を説得することは無意味なのだ。

「韓流が世界を制する」と韓国人がどれほど自慢しようとも、韓国社会の実態を見れば、さまざまな分野で日流の浸透が止まらない。

反日を国是とする国なのに、日本の商品が溢れている。金持ちはもちろん庶民まで、「値が張っても質の良い日本の物がいい」と動く。小説や漫画・アニメは日本のオンパレードだ。

地代や賃貸料が高い繁華街ほど、日本料理店が多い。そして不買運動が始まるまでは、国民の７人に１人が年に１回は日本旅行に行っていた。

と言って、そうした日流の担《にな》い手が親日派であるわけではない。「それはそれ、これはこれ」という韓国人お得意のスタンスだ。韓国の歴代政権が日本に向かって「歴史問題と未来志向は切り離して、２トラックで行きましょう」と言うのも、実は半島の伝統的なご都合主義の発露なのだ。

しかし、日流の担い手もほとんどは反日派だとしても、〝真性の反日主義者〟にとっては、日流に染まっていく韓国の状況は「どうにも我慢できないこと」なのだろう。

そこで彼らは、さまざまな反日を画策する。ところが、確たる知識が不足しているうえに「まず反日ありき」の姿勢だから滅茶苦茶な論法になり、韓国の反日は劣化の一途をたどるのだ。

韓国のベストセラー事情

韓国人一般の文書読解能力に触れたが、皆がみんな劣っているわけではない。17年の国民読書実態調査では、韓国人の4割は1年間に1冊の本も読まなかったそうだが、読む人は読んでいる。

では、どんな本を読んでいるのか。韓国の新聞も年末になると、「〇〇年を振り返って」といった記事を載せる。どんな本が売れたのかも、その定番記事だ。

17年の場合を見よう。韓国の最大手書店である教保文庫の集計によると、「海外書籍のうち今年最も多く売れたのは東野圭吾の作品」「2位は村上春樹、3位は今年はじめに映画『君の名は。』をヒットさせた映画監督の新海誠だった」（聯合ニュース17年12月26日）。

念のためだが、海外書籍とは原書ではなく、翻訳本だ。

ところで、韓国書籍はどうなのか。この記事には、海外書籍については1〜5位まで記されているのに、韓国書籍は1位しか書いていない。なぜだ。

07年7月16日の聯合ニュースが、こう伝えている。

「教保文庫によると、日本の小説は06年、シェア31％を記録し、2000年代に入り初めて韓国小説のシェア（23％）を上回った。日本小説のシェアは、03年の15％から04〜05年には23％に上昇するなど、毎年急成長している」

つまり06年の時点で、小説部門では海外書籍が77％を占めていた。そのなかで日本書籍の増加が続いている。こんな傾向が続いていたら、17年には韓国書籍は1位だけを紹介すれば充分な状態に陥《おちい》っていたと推察できる。

いささか古いデータになるが、11年6月の漫画販売ランキングは1〜19位まで日本の作品が占めた。韓国の漫画家はといえば、18年の話題の中心は金城模《キムソンモ》氏だった。ところが、日本漫画を〝トレーシング〟（実態は盗作だろう）していた事実が明らかになり、連載を打ち切られた。

金城模氏とは、かつて日本の『マンガ嫌韓流』に対抗して『マンガ嫌日流』を出した漫画家なのだから、お笑いだ。

日本製品の植民地？

日用品に目を転じよう。

「（ある主婦は）生後1年が過ぎる息子に日本直輸入おむつ『グ〜ン』をつけて外出の支度をする。子供を車に乗せる時に使うベビーシートは、日本の皇室で使用するという『タカタ』だ。おむつバッグには『ピジョン』の哺乳瓶《ほにゅうびん》と『コンビ』のスパウト（哺乳瓶とストローカップの中間形態のカップ）、ベビー用菓子の『和光堂』が入っている。公園で子供との散歩のためのベビーカーも、日本のブランド『アップリカ』だ」

これは、韓国メディア・ファイナンシャルニュースが11年の光復節（日本からの独立記念日）の前日に報じた記事だ。見出しは「光復韓国、相変わらず日本製品の植民地？」。

淡々と日本商品の氾濫《はんらん》ぶりを伝えながらも、最後に「コンビニエンスストアで国産製品を購入しても日本にロイヤリティーが行くと思うと、コンビニの利用を自粛しなければならない」と話す会社員を登場させ、対日貿易赤字額を記している。記者の反日心情が伝わってくる記事だ。

ちなみにファイナンシャルニュースによると、日本製のおむつの輸入額は07年から10年までの4年間で20倍以上も増えた。韓国の母親たちが日本製おむつを選ぶ理由は、韓国製品に比べて「軽い」「薄い」「吸湿性が良い」「湿疹《しっしん》ができにくい」。

これでは、どんなメディアも「日本製おむつを使うな」とは言えない。しかし、言えない分だけ真性反日主義者の内なる心は燃えていくのだろう。

10年から11年にかけて、日本でマッコリ（韓国濁酒）がブームになったことがある。キムチに続く大ヒットということで、韓国のマスコミは「韓流効果」なる言葉をつくった。

あんな不味《まず》い酒を飲む日本人が本当にいるのかい。そう思っていたら、出た。「マッコリ輸出が5年で75％減　日本酒と対照的」（聯合ニュース17年12月23日）というニュースが。

この記事によると、同じ5年間で「日本酒の輸出額は30・2％増加した」。とたんに「日隆韓沈」という造語を思いついた。

日本酒の平均輸出単価は、マッコリの7倍以上だ。だから韓国では「日本酒はものすごく高い酒」となる。

それでも日本酒を好む韓国人が増えている。

07年頃、韓国の日本食専門店は6000店ほどだったが、18年8月には1万7290店に増えた（韓国国税庁資料）。その大部分は輸入した日本酒など置いていない。おでん屋、うどん屋、魚料理がある居酒屋の類《たぐい》だが、なかには「店内では従業員も客もすべて日本語」といったマニアックな超高級店もある。

店の造りをすべて日本風にしたり、店名を漢字で「○○倶楽部」としたり、あるいは日本酒専門の〝利き酒師〟がいたり……そんな店もある。

文在寅《ムンジェイン》大統領の脳内にある「朴正煕《パクチョンヒ》一派＝親日派＝産業化勢力（財閥）＝保守派」という憎悪の図式も、超高級日本料理店の繁盛ぶりを見れば、ナルホドと思えなくもない。

通信社が反日の〝パクリ配信〟

こうしたなかで蠢《うごめ》くのが、反日メディアだ。

「女性経済新聞」という得体の知れないメディアが2018年9月5日、「東亜大塚の大株主である日本の大塚製薬が、靖國神社参拝政治家を間接後援していたことが確認された」とする記事を掲載した。

「業界によれば、逢沢一郎、額賀《ぬかが》福志郎など靖國神社に参拝した日本国会議員14人に『製薬産業政治連盟』を通じて間接後援した企業は合計7社あったが、そのうちの1社が大塚製薬だった」と記事は続く。

だからどうすべきだ、ということは全く書いていない。不思議な記事だ。

それから1カ月余、通信社のニューシスが同じ記事を〝パクリ配信〟した。1カ月以上経ってからの後追い記事なのに、何一つ新しい事実が載っていないのだからパクリだ。きっと反日のためならば、パクリも許されるのだろう。

ニューシスの記事を、東亜日報はそのまま転載した。中央日報（10月10日）は一部をリライトして掲載した。中央日報の見出しは「ポカリ・オロナミンCを飲めば靖國参拝後援」。

①東亜大塚製薬は、ポカリスエット（スポーツ飲料）とオロナミンCを販売している。

②東亜大塚製薬の大株主は日本の大塚製薬（50％）である。

③大塚製薬は、製薬産業政治連盟に加入している（筆者注＝大手製薬会社はみんな加入している）。

④製薬産業政治連盟は自民党議員に献金している。
⑤そのなかには靖國神社に参拝している議員が含まれている。
⑥だから、ポカリスエットやオロナミンCを買ってはいけない。
「風が吹けば桶屋が儲かる」みたいな話だ。

民よ、ユニクロで買うな

反日メディアは、儲けている日系企業に牙を向ける。ユニクロはその代表格だ。UPIニュース（倒産したUPI通信ではない）という、やはり得体の知れない韓国メディアの「ユニクロの隠された真実」（18年11月17日）と題する記事は、左翼の真性反日主義者の筆によるのだろう。韓国の記者には、真性反日主義者がとても多い。

記事は「表では防弾少年団（BTS）問題で反日感情を表現して、裏ではユニクロ製品を購入する韓国人の二重的態度も問題だ」とするファッション業界関係者の発言をまず紹介している。

Kポップスグループの防弾少年団は、メンバーの1人が日本の原爆被害を揶揄《やゆ》するような模様のTシャツを着ていたことが明るみに出て、日本の年末のテレビ番組からシャットアウトされた。

日本人からすれば、日本のテレビ局の措置は当然だ。ところが韓国では、「Tシャツの模様は韓国独立を誇るものであり、日本のテレビ局の措置は不当だ」とする防弾少年団被害者論が溢れている。さらに時期が重なったこともあり、「徴用工判決に対する日本の報復」とする説まで出ている。

いわゆる徴用工判決に、防弾少年団問題で韓国中が反日で燃えている。それなのに、反日を叫んでいる国民がユニクロで買うのはなぜだ――ファッション業界関係者の発言は、真性反日主義者の焦燥《しょうそう》を代弁している。

記事はこれに続いて、ユニクロの韓国法人（韓国ロッテショッピングが49％株主）が日本本社に支払ったロイヤリティーと配当金額を詳細に伝える。

ロイヤリティーは09年には33億ウォンだったのに、17年には383億ウォンになった。配当金を合わせると、17年の支払額は612億ウォンに達する、と。

本当にすごい日流だと感心するのは日本人。記事は、それなのにユニクロは従業員を減らし、「日本本社にさらに多くの収益金を送り、韓国消費者のための投資と雇用は疎《おろそ》かにしたのである」と続く。

韓国には独特の外国企業観がある。端的に言えば、外国企業は善良な韓国人を食い物にしており、その海外送金は許しがたい——とするものだ。この記事は、そうした外国企業観と、真性反日主義者の焦燥が溢れ出ている。韓国人を理解するうえで格好の記事ともいえる。

驚きのウンチク

韓国では新聞・放送の記者が、名目はどうあれ、事実上の反日のための勉強会を開くことがある。

韓国体育記者連盟が18年11月下旬に催した「望ましいスポーツ用語定着のためのスポーツメディアフォーラム」も、その1つだった。

スポーツ専門メディアのスポテレビニュース(18年11月26日)が伝えるところ、討論の中心は浸透した日本式のスポーツ表現をどうやって追放すべきかだった。

たとえば、日本人の造語である「野球」(韓国語の発音では「ヤグ」となる)という言葉はすっかり定着しているのに、いまさら何という言葉に変えるのかといった話が延々と続く。

そのなかで吹き出したのは、「ファイティング」という掛け声に関する部分だった。日本のスポーツ選手が練習中に口にする「ファイト」が韓国語化したものが、「ファイティング」なのだそうだ。

ゲスト討論者として出てきた国民体育振興公団理事長という偉そうな肩書の人物が、ここで蘊蓄《うんちく》をひとくさり。

「一般的に使用される『ファイティング』という掛け声は、恐ろしい言葉だ。日帝時代、神風が戦闘に出る前に叫んだ言葉に由来」

特攻隊員が飛び立つ前に英語で……何という知的レベルなのだろうか。

そもそも「体育」という漢字語そのものが日本人による造語であることを、韓国体育記者連盟に所属する記者たちも、国民体育振興公団理事長も、記事をまとめたスポテレビニュースの編集者たちもご存じないらしい。

そんな知的レベルで「まず反日ありき」とばかり、お粗末な材料を組み立てるから、反日種族の反日は、もがけばもがくほどに劣化していくのだ。

韓国最大の反日組織「VANK」

VANK《バンク》とは韓国最大の反日組織だ。会員は10万人を超えるそうで、「民間外交使節団」などと称しているが、サイバーテロを得意技とする集団であり「ディスカウント・ジャパン」（ネタは何でもいいから日本を貶《おとし》める運動）の実践部隊だ。

韓国メディア・マネーS（20年1月2日）が朴起台《パクキテ》VANK団長とのインタビュー記事を報じた。

朴起台氏は、こう述べている。

「安倍（晋三首相のこと）の外祖父である岸信介は、日帝強占期最後の朝鮮総督を務めた者だ」

最後の朝鮮総督は阿部信行だが、安倍も阿部もハングルで書けば同じだから、安倍首相を阿部信行の孫と思い込んでいる韓国人はいる。そこら辺の混乱があったとしても、「安倍の外祖父である岸信介は、日帝強占期最後の朝鮮総督」とは何だ。これを校正できないメディアもお粗末。

彼は「日本政府がメディアを統制して、嫌韓ムードを作った」とも述べている。日韓関係史もおぼろげな知識しかなく、日本の現状についても誤解だらけの人物が、最大の反日組織を率いている。劣化は止まらない。

11の常識

韓流は対外愚民化政策

朝日新聞のお笑い記事

○○ブームだという報道があると、自分も○○に接してみようと動き出す人々がいる。ブームの担《にな》い手たちは自負心を強め行動する。だから、ブームでもないのに、マスコミが「ブームだ」と報じることは、煽《あお》り目的のフェイクニュース製造に当たる。

韓国のマスコミを見ていると、日本はいま、若者を中心とする第3次韓流ブームで燃えているそうだ。

朝日新聞は、韓国の「ブーム報道」に煽られたのかもしれない。19年6月、「韓流、SNS世代が第3の波」（4日）、「第3次韓流ブーム、なぜハマる?」（6日）と、立て続けに有料記事をネットにアップした。

日本は本当に、SNS世代を中心にした韓流ブームなのだろうか。

その検証はさておくとして、朝日の記事には笑ってしまう。

4日の記事に、こんな一節がある。

――明洞《ミヨンドン》（筆者注＝ソウルの古くからの繁華街）で「黒糖タピオカミルクティー」で有名なカ

フェで並んでいた愛知県の○○さん（20）――。

黒糖、タピオカ、ミルクティー……どこに「韓国」があるのか。台湾の創作茶、いわゆる「貢茶《ゴンチャ》」の店だろう。貢茶のチェーン店なら日本にもある。

貢茶の大手チェーンの本社は、韓国資本に買収された。しかし、タピオカを混ぜ込んだ創作飲料は、あくまでも台湾発祥の食文化だ。

それなのに、わざわざソウルまで行って台湾の創作茶を並んで飲み、韓国を褒めたたえる日本の若い女性が「第3次韓流ブーム」の担い手代表として、朝日新聞に出てくる。これがどうして笑わずにおられようか。

「交流」、「協力」という言葉に要注意

韓国の大手マスコミは、まるで「絶対権力者から課せられた義務」であるかのように、年に何回かは海外発の〝わが国自慢〟の記事を書く。一昔前は「○○国で韓国語ブーム」といった大嘘記事が多かったが、最近は韓流関連が圧倒的に多い。

それにしても、同年5月の聯合ニュースの「東京発韓流」は異常だった。

日本語サイトに載った記事だけでも、「東京・韓国文化院が開院40周年」(5月9日)、「日本の新韓流ブームに驚き　駐日韓国文化院の黄星雲《ファンソンウン》院長」(10日)、「日本に巻き起こる新韓流ブーム　10~20代が主導」(13日)、「グルメが火を付けた日本の新韓流」(15日)。

韓国語サイトを見ると、「日本文化庁の宮田亮平長官〝韓国は日本にとって兄か姉のような存在〟」(10日)という記事もある。宮田長官が韓国文化院に出向いて韓流を絶賛したというのだから、韓流関連記事だ。この記事が日本語サイトにアップされなかったのはなぜだろう。〝親韓派長官〟をネトウヨの攻撃に曝《さら》してはならないという配慮だろうか。

聯合ニュースの一連の記事のなかで、私が「なんと正直に書いているのだろう」と感心した部分がある。

9日の記事に「政府主導のこのような文化交流政策は1990年代後半になってから韓流という名で実を結び始め……」とする部分だ。

ちょっと脇道に入るが、韓国の漢字語は、日本と違う実態を持つ場合がある。

ここでは「交流」がそれだ。彼らが外国に対して使う場合は「双方向」ではなく、「押しつけ・一方的売り込み」を意味する。

「経済協力」という言葉もそうだ。彼らが「韓日間の経済協力が重要」という場合、それはギブアンドテイクではなく、韓国がテイクするだけのことだ。

文化交流に関しては、「1998年の小渕恵三・金大中《キムデジュン》共同宣言で、韓国側が日本の大衆文化に対する門戸開放を述べているのだから、一方通行ではない」と主張する親韓派もいるだろう。

共同宣言の末尾に、そんな文言《もんごん》はある。しかし実態を見れば、韓国の地上波テレビは、各社ごとに設けた内部指針に基づき、いまでも日本語による歌曲の放送を禁じている。

韓国政府の言い訳は決まっている。「政府は門戸開放しているが、自律的なテレビ局の指針には介入できない」。

「日本大使館前の慰安婦像は民間団体が建立《こんりゅう》したものだから、政府は介入できない」「わが国は三権分立だから、司法府の判断に行政府は関与できない」――ボロボロのツギハギ論法を述べて、なんら恥じることがない国だ。

知っておくべき対日情報心理戦の歴史

本筋に戻る。日本ではほとんど知られていないが、韓流とは、韓国政府の主導による韓国文化の押し付け戦略なのだ。

韓国文化院の開設は東京が最初であり、それは1979年5月、池袋の「サンシャインシティ」にオープンした。

釜山・馬山《マサン》の暴動が、朴正熙《パクチヨンヒ》暗殺事件に繋がっていく時代だった。対外債務の返済不履行があり得ると観測されていた時期だった。

そんな時に、家賃がべらぼうに高いサンシャインシティに――これだけで、韓国が対外広報、とりわけ日本での広報活動をどれだけ重視しているかが分かるだろう。

当時、韓国による対日広報とは、北朝鮮を睨《にら》んで、日本を舞台に展開する情報心理戦だった。

1980年代初頭のことだった。韓国の情報当局者から「世界に流れている朝鮮半島に関するニュースの8割以上は、東京発だ」と聞いた。

当時と今では、マスコミの状況がまったく違う。世界的規模の通信社も、海外取材網は今日とは比べ物にならないほど薄かった。ネットはもちろん、ファックスもないし、国際電話もなかなか通じない時代だった。

欧米の大手通信社も、ソウルは東京の分局で、ソウルにいる記者とは「特派員」や「支局長」の名刺を持っていても、実は韓国人ストリンガー（契約記者）がほとんどだった（この点はいまもあまり変わっていないようだ）。

新聞社となると、欧米の新聞はどこも小規模だから、ソウルに常駐記者を置くようなことはできず、東京特派員が韓国を担当した。

つまり、東京にいて、日本の韓国報道を転電する手法だ。大手通信社も、当局の威圧に、すぐにひるんでしまうようなストリンガーの記事よりも、日本の新聞に載る韓国情報を重視していたようだった。

結果として、日本を経由して世界に流れる半島情報が8割以上を占める。だから韓国の情報当局は、ソウルにいる日本人記者がどんな記事を送るかに最大限の注意を払っていたのだ。

70年代前半まで、日本を舞台にした南北情報心理戦は北朝鮮が圧倒していた。象徴的だったのは、いわゆる「地上の楽園」報道であり、雑誌『世界』が長期間連載したフェイクコラム「韓国からの通信」だ。

しかし、北が対外債務不履行に陥《おちい》ったのを機に、韓国の反撃が始まった。

「北よりも南のほうがはるかに進んだ国だ」という事実を日本人に悟らせることが、当初の対日情報心理戦の目標だった。

日本人が「韓国優位」を理解する → 世界中の報道傾向が変わる――とする見方は正しかった。

なかなか言うことを聞かない日本人特派員よりも、北に靡《なび》いていない学者や評論家に韓国は目を付けた。

おそらく、大手雑誌社に話を付けてからだろう。著名な学者や評論家を招待し、モデル工場を見せ、モデルコースを歩き、夜は韓国流の大接待。北朝鮮が、招待した日本人をモデルコースだけ見せて回るのと同じ手法だ。いや、同じ民族だから同じ発想なのか。

80年代中盤、著名な大学教授がソウルに来た。本社（時事通信社）からの要請があり、私が案内をした。

「韓国にはこれまでに20回近く来ているが、私的な旅行は初めて」と教授は言った。

教授が「街を歩きたい」と言うので、ソウル駅前から裏道に入った。すると、教授が「ソウルにはこんな貧民街があるのか」と驚いたのに驚かされた。そこは、並みより立派な家々が立ち並ぶ住宅地だった。

教授は過去十数回、どんな街並みだけを見せられていたのだろうか。

韓国政府や、その要請を受けた韓国財閥から招待された日本の教授や著名な評論家は、日本人特派員が書かなかったような記事を著名な総合誌に書いた。「昇龍のような韓国が日本を追い越す」とか、「ポニー（筆者注＝現代《ヒュンダイ》自動車の小型セダン）がやがて世界を制する」とか……。

そうした大論文は、韓国の東京特派員により要旨を転電され、韓国紙に載った。それにより、韓国人は「わが国は優れた国なのだ」との自信を深めた。対日情報心理戦の副次効果だ。

「韓国の優れた点は、高級公務員が汚職をしないことだ」と書いた評論家もいた。きっと、接待を受ける席でそう吹き込まれたのだろうが、歴史に残るお粗末論文だ。

やがてソウル五輪。その頃には、日本を舞台にした情報心理戦の帰趨《きすう》は明確になっていた。

北朝鮮は日本の親北メディアを動員して「軍事独裁の下で、飢えて呻吟《しんぎん》する南の人民たち」といったイメージを広めたが、それは五輪の中継映像の前で一瞬にして崩れた。逆に、北朝鮮は「地上の楽園」どころか、世界の最貧国に属することが日本人の常識になった。

これがテレビに主軸を置いた対日広報への転機になり、「北より優れている」ことはもはや明らかだから、戦略は「韓国に対する好感度の向上」といった方向に変わっていった。

大統領直属の国家ブランド委員会

「冬ソナ」のブームを経て、2009年には大統領直属の機関として国家ブランド委員会が設立された。

「国家ブランド」とは、「韓国に対する外国人のイメージ」といった意味で使われる用語だ。官僚的に説明すれば、委員会は国家ブランドを高めるため、基本計画を作成し、各省庁にまたがる関連予算を効率的に調整する。

平たく言えば、韓国に対する外国人の好感度を高めるため、芸能や料理などの韓流を政府として推進していくということだ。

ブランド委員会は対外援助にも関与していた。ブランド委員長は、「開発途上国に対する援助を増やす計画だ。援助が増えるほど国際社会で良いイメージが得られる」（中央日報10年1月12日）と述べている。

貧しい開発途上国の国民生活を改善するといった視点は、まったく感じ取れない。「外国人の韓国に対するイメージ」しかない。

同委員長は、「韓国国内にいる外国人留学生らを、該当国家に韓国のことを知らせるブロガーとして活用するつもりだ」（朝鮮日報10年6月1日）とも述べている。私には、いかにも韓国人らしい発想と思える。

韓流関連予算は、文化体育観光省、農林畜産食品省、教育省・文化財庁、産業通商資源省、外交省など多くの省庁にわたるが、文化体育観光省だけでも11年に2500億ウォンの予算を執行した。李明博《イミョンバク》政権当時の文化体育観光相は、13年には5000億ウォンの予算を確保すると表明している（聯合ニュース12年7月9日）。

13年11月、朴槿惠《パククネ》大統領は施政演説で、韓流および関連の文化産業発展を盛り立てるため、政府予算の1・5％（筆者注＝5000億円相当）を投じると述べた。

最近は、なぜか韓国政府の韓流推進予算額に触れた記事が見当たらない。

文在寅《ムンジエイン》政権は、李明博、朴槿惠政権の施策を「原則否定」している。しかし韓流に関しては、「韓食（韓国料理）の世界化」をほぼ断念したという以外は、否定的報道はない。

凄《すさ》まじい額の国家予算が、いまも韓流の推進のために注ぎ込まれていることは間違いない。

韓国との間にどんな懸案があるのか、韓国とは本当はどんな国なのか、韓国人とはどんな対日感情を持っているのか……そんなことは一切考えさせずに、「あの歌手は格好いいから」「あの食べ物は美味しいから」といったことだけで親韓派を増やすとは、まさしく韓流とは対外愚民化政策なのだ。

それに釣り上げられた親韓派とは、「韓流愚民」と呼ぶべきだろう。

狙いは嫌韓言論の封じ込め

韓国の対日情報心理戦は韓流ばかりではない。世界中に日本の悪評を振りまくディスカウント・ジャパンも、対日情報心理戦の1つだ。それを担うのは〔10の常識〕でも書いたVANK《バンク》という自称「民間団体」だが、本当に「民間」なのか。少なくとも政府補助金が出ているし、政府の委託事業も引き受けている。

VANKの得意技はサイバーテロだ。

韓国には旧KCIA（韓国中央情報部）の系譜を引く情報機関、あるいは国防相直属の組織などに少なくても300人ほどの心理戦要員がいる。そのほとんどは、ネットへの書き込みを任務としているらしい。彼らの手は、日本のネットにも伸びていると思われる。韓国の対日情報心理戦はいま、日本国内での「嫌韓」言論を封じることに向けられているようだ。

事実の指摘であっても、韓国に都合が悪いことは「ヘイト」に一括《ひとくく》りすることが、その基本戦術のようだ。そして、嫌韓派に対して「夢を失った老人が多い」「引きこもりが多い」「低所得層が多い」といったマイナスイメージを浴びせかける。「日本の若者には親韓派が多い」という主張も、「嫌韓派には老人が多い」というマイナスイメージを補強するものと思われる。

それにしても、韓国はなぜ、ここまでして対外イメージに拘《こだわ》るのだろうか。おそらく、自分たちの国民性に自信がない。しかし、国民性を変える努力はしないで、全身に美容整形を施した芸人を売り出すことで、外国人の目を誤魔化そうとしている。

韓流とは、「外華内貧」というべき国民性の発露でもあるわけだ。

12の常識

乗ってはいけない航空機

前代未聞、機内食なしの長時間フライト

アシアナ航空は韓国で2番手のエアキャリアだ。子会社に格安航空のエアプサン、エアソウルがある。日本の地方都市と韓国を結ぶ路線の大半は、この3社が占める。

そのアシアナが2018年7月、前代未聞の不手際を起こした。機内食が届かないため、航空機の出発が遅れたり、機内食なしのノーミールフライトをしたのだ。日本までなら機内食がなくても構わないが、長時間飛行ではそうはいかない。「何もないよりは」ということだったのだろう。急ぎ届けられた弁当の映像が、乗客によりネットに曝《さら》された。

発泡スチロールの容器の5分の1ほどの部分に、脂気《あぶらけ》がない細切《こまぎ》れの焼肉。あとは白米だけ。肉の下にレタスもないし、漬物もない。日本の激安食品スーパーにも、こんな弁当はあるまい。

どうして、こんな不手際が起きたのか。アシアナ航空というよりは、同社を傘下に収める錦湖《クモ》財閥の資金繰りが原因だった。

アシアナはヨーロッパ系の専門業者から機内食を入れていたが、契約更新交渉が破綻《はたん》し

た。錦湖財閥が契約継続の条件として、アシアナではなく錦湖財閥への出資を求めたからだ。

アシアナは中国の業者と契約した。その業者は仁川《インチョン》空港近くに工場を建設した。が、完工前に火災が起きた。

工場が再建される前に、ヨーロッパ系業者との契約期間が終わってしまう。慌てたアシアナは〝つなぎ〟の業者と契約した。その業者は、格安航空への納入を専門にしていて、1日3000食の製造が限度だった。

そこに、短期間だから1日3万食を納入しろ、と捻《ね》じ込んだ。受けるほうも、よく受けたものだ。その業者は数社の下請けを抱えている。そのうちの1社の社長は、注文量を納入できなかったことを苦に自殺してしまった。

それでも何とか3万食を用意したらしいが、今度は運搬の態勢が整っていなかったことが判明し……かくて長時間の出発遅延や、ノーミールフライトになったのだ。

空港で会長様のために客室乗務員の見習いが

この不手際を機に、様々な所から錦湖・アシアナ非難の声が上がり始めた。昔から〝行儀が悪い財閥〟の代表格だったから、それも当然として「何ッ」と驚くような内部告発が出た。

錦湖の会長である朴三求《パクサムグ》氏（73＝当時）が空港を訪れる際の儀式だ。

KBS（18年7月7日）は、会長を迎える前の予行演習の映像を放映した。もちろん、社内の人間からの提供だろう。

客室乗務員の見習いたちが踊り歌う。その歌は『バラの微笑』というドラマ主題歌の替え歌だそうだが、こんな歌詞だ。

「会長様にお目にかかる日、しきりに震える胸に眠れませんでした」

「真っ赤なバラほど会長様を愛してます。胸が張り裂けるようなこの気持ちわかるでしょうか」

まさに〝会長様の喜び組〟だ。

私は時事通信社のソウル特派員だった当初、1カ月ごとの切り替えビザしか発給されなかった。このためアパートを借りることもできず、支局に近いロッテホテルに数カ月間滞在した。

メイン食堂で朝食を摂《と》るたびに、韓国の国会議員や高級官僚がどれほど威張っている存在か、よく学べた。ホテルの支配人クラスもそうだ。総支配人と何人かの支配人が入ってくると、ボーイもウエイトレスも態度が全く変わる。

支配人たちが制服のまま、メイン食堂で大きな顔をして朝食……それだけでも、日本では想定できない光景だが、何人かのボーイ、ウエイトレスがその席の周りに張り付き、他の客の注文には応《こた》えない。

ロッテホテルの会長が独りでホテル内の日本料理店に座るや、数人しかいないウエイトレス全員が会長を取り囲み、酒を注ぎ、話に相槌《あいづち》を打ち、他の客の注文には知らんふりを決め込む。

私には見慣れた光景だったが、ある晩、日本人客がついに怒鳴り声を上げた。ようやく来た1人のウエイトレスが、つたない日本語で言った。

「あの御方は、このホテルの会長様ですから」

「俺は客だぞ」

「私たち、会長様から給料を貰っているのですから」

日本と韓国のサービス産業分野における決定的違いだ。いや、サービス産業に限らない。韓国の職場とは、公務員も含めて、およそどこでも直属の上司への忠誠心（見せかけのゴマスリ）だけで動いている。

民間企業なら、直属の上司よりも会長とその親族が絶対の存在だ。彼らに気に入られたら、たちまち出世できるからだ。

会長の指示を「会社のためにならない」と判断しても異論を唱えるような側近はいない。会社が赤字を出したって、自分が高給を食《は》んでいることのほうが大切だからだ。

大統領の対日政策を「間違っている」と思っても、〝閣下《かっか》のご聖断〟に「ノー」と言う側近はいない。

文在寅《ムンジェイン》大統領は就任早々、「側近は異見を述べるのが義務だ」と格好良く述べた。もう本人も忘れているだろうが、最高権力者がそう言ったところで、側近は誰も異論・異見を言わない。そして、権力者は次第に〝裸の王様〟になっていく。これが「韓国というシステム」なのだ。

アシアナの場合は、機内食の件で大騒ぎしている最中でも「会長への儀典《ぎてん》」に汲々《きゅうきゅう》としていた、と中央日報（18年7月8日）がこう伝えた。

――アシアナ航空マネジャー級管理者は6日午前、社員に「きょう10時30分前後に朴三求会長が社員激励のため空港を訪問する予定です。社員の方々は個人のスタイル、服装チェックをお願いし、支店長とともに移動予定なので、すれ違う時にはあいさつを徹底してしっかりやるよう願います」とのメッセージを送った。

問題は、朴会長の空港訪問儀典に気を遣う間に、乗客の安全に向けた措置が省略されたり後回しにされている点だ。アシアナ航空社員（がネット上に開設した）チャットルームには、朴会長関連行事を行うために、飛行前のブリーフィングが省略されたり運航に支障を与えたことがあるという暴露も出てきた——。

「運航の魔術師」と連鎖的遅延

機内食問題が一息つくと、別の理由で運航の遅れが起きた。

発端は、7月15日にハノイを発つ予定だった飛行機にブレーキ系統の故障が見つかったことだった。アシアナは代替機をハノイに送ったが、その機もハノイで燃料系統に問題が見つかった。すると、ソウル発の便まで連鎖的な遅延が始まり、同17日には10時間以上も遅れる便や欠航する便が出た。

ハノイに送った代替機の帰還が遅れたからといって、なぜ他の便にまでそんな影響が出るのか。

アシアナは「運航の魔術師」と、他の航空会社から言われている。褒め言葉ではない。保有機を〝徹底的な効率〟で運航しているので「危ない」という意味だ。短い整備時間で、すぐに次の路線に投入しているのだ。

ハノイでブレーキ故障を起こした機、あるいは代替機は、ソウルに戻ったらすぐに整備して別の地に飛ぶ予定だったのだろう。

代替機を代替する〝飛べる状態〟の予備機はない――でなければ「連鎖的遅延」は説明できない。

この件についても、内部告発が出た。

CBS（韓国語サイト18年7月19日）が、内部告発情報を中心に報じた。

それによると、キーワードと言うべきは「部品不足」「整備不良」「熟練整備士の不足」「予備機の不足」だ。

アシアナは、1機当たりの整備士数が同業他社より多いことを自慢してきた。

ところが内部告発によると、「熟練整備士が足らず、3～4割が見習い生」。大きな故障が見つかると、熟練整備士の人繰りから問題が生じる。

そして、財閥全体の資金繰りが悪いから、アシアナも日常的な「部品不足」状態にある。

結果として、

「部品が不足しているので、別の航空機の正常部品を取り付ける〝共食い整備〟になる」

「76機が就航しているのに予備機が8機しかないので、整備不良が見つかっても別の機をすぐには充当できない」

となる。

1機が大きな故障を起こして長時間の遅延になると、たちまち「連鎖的遅延」に繋がるわけだ。

成田と名古屋で航空機部品の整備・修理を手掛けている会社の社長から、苦労話を聴いたことがある。金属加工専業で「溶接技術にかけては日本一」と定評がある会社だ。

――業容拡大の一環として、航空機部品の整備・修理に進出しようと思った。うちの技術レベルなら難なくできると思っていたのですが、マニュアル遵守《じゅんしゅ》のところで何度も引っかかってしまった。認証基準がとても厳しい。あれほど苦労したことはなかった――。

その話を聴いていて、「あぁ、それでは韓国企業には無理だな」と思った。韓国の工場とは、何事も「パリパリ」（早くはやく）のマインドで、マニュアル無視の「勝手合理化」がまかり通る世界なのだから。

もちろん、「勝手合理化」の背後には、「ヒムドゥロヨ」（厄介だ）につき「ケンチャナヨ」（そんなもので構わないさ）の産業文化がある。

熟練整備士も部品も不足するなかで、「運航の魔術師」と呼ばれる素早い整備ができるのは……背筋が冷たくなってくる。

韓国の国土交通省は、大韓航空（ＫＡＬ）のナッツ姫騒動への対応で見せたとおり、〝鈍さ〟の点では定評がある。それでも7月22日から2週間の日程で、アシアナの整備部門に特別監査に入った。

それも半ばを過ぎた同30日、仁川からジャカルタに飛び立とうとしていたアシアナ機の後尾部分から白煙が上がった。発火することはなかったが、補助動力装置からオイルが漏《も》れていたという。

離陸前に白煙が上がったのは幸い。離陸後に発火していたら……また背筋が冷たくなってきた。

着陸失敗、警告無視、エンジン出火、虚偽報告

アシアナの大きな事故といえば、最近では米サンフランシスコでの着陸失敗（13年7月）と広島空港でのやはり着陸失敗（15年4月）がある。

前者では中国人乗客2人が死亡した。韓国の民放テレビのキャスターは、「死亡したのは中国人とみられます。われわれとしては幸いでした」と言った。韓国人乗客は、パイロットのミスではなく機体の欠陥が原因だとして、ボーイング社を提訴した。

広島の事故は「パイロットの判断ミス」が原因とされているが、そのパイロットは日本側の事情聴取に応じないまま帰国した。

2つの事故の間には、日本では報道されなかったようだが、14年4月、仁川発サイパン行きのアシアナ機が、離陸から1時間後にエンジンの異常を知らせる警告灯が点灯したのに、「最寄りの空港に着陸する」との規定を無視し、サイパンまで4時間飛行したことがあった。

機体点検の結果、エンジンオイルに基準値を超える鉄粉が混じっていたことが分かった。

純正オイルを使っていなかったのだろうか。

この警告無視飛行の際、アシアナは韓国国土交通省に対して「警告メッセージが消えたため運航を続けた」と虚偽報告をしていたことも後日、判明した。

16年6月には、米ケネディ空港で離陸を待っていたアシアナ機のエンジンから出火があった。アシアナは「別の飛行機を用意する」とアナウンスした。が、実はエンジンから出火した機であることがバレてしまった。

アシアナの言い分は、「エンジンを調べた結果、燃料漏れによる軽微な火災であることが分かり、製作会社（エアバス）の関係者を呼んで修理したあとに出発させた」「軽微な火災の場合、同じ航空機を飛ばしても問題にならない」というものだった（中央日報16年6月28日）。

その飛行機は予定より29時間遅れて仁川に到着し、乗客を降ろした。そして、エンジンを停止する過程に入った。すると、再び同じエンジンから「スパークが飛んだ」（聯合ニュース韓国語サイト16年7月1日）。

韓国マスコミで使われる英語の「スパーク」をどう和訳すべきなのか悩んでしまう。

とにかく、それは「空港消防隊が消火作業を行った」（同）ほどのスパークだったのだ。

飛行中の機内で機長が大ゲンカ

16年12月、仁川発ニューヨーク行きのアシアナ機で、離陸前に副操縦士同士が殴り合いのケンカをして1人が病院に収容された。アシアナは、いわばケンカに勝った副操縦士をそのまま搭乗させ、ニューヨークまで飛行させた。

17年9月には、飛行中の機内で機長同士（長距離便のため2人機長の交代制）がケンカをして、ペットボトルが投げつけられた。

18年5月にはトルコの空港で、同6月には金浦《キンポ》空港で、駐機場での移動中に他の航空会社の飛行機と接触事故を起こした。

「安全不感症」という不思議な韓国語がある。大きな事故があるたびに、韓国紙が原因の1つとして使う言葉だ。しかしどう考えても、これは「危険不感症」と言うべきだ。

アシアナは「安全不感症」なのではなく、重度の「危険不感症」を患《わずら》っているのだ。

「1つの重大事故の背後には29の軽微な事故がある」というハインリッヒの法則を思い出さざるを得ない。アシアナには、そろそろ30番目が近づいているのではないだろうか。

幸いなことと言うべきか。アシアナを傘下に収めてきた錦湖財閥は、財閥全体の資金繰りがつかなくなり、19年12月、アシアナをＨＤＣ現代産業開発に売却した。ＨＤＣ現代産業開発とは、現代自動車グループの外戚に当たるが、航空会社運営の経験はないし、資金面で「背伸びした買収」の感が否めない。

やはり、「ケンチャナヨ文化」の国の飛行機には乗る気がしない。

13の常識

恐怖の高速鉄道

基礎工事の手抜き、原因不明のまま運転再開

日本の新幹線は1964年に東京－新大阪間が営業を開始してから、北海道新幹線が走るまでに52年間を要した。それでいて、まだ四国、山陰、九州東岸には新幹線がない。韓国の高速鉄道（KTX）は2004年にソウル－大邱《テグ》間が開通した。それから、わずか14年間で全国6系統の路線を整備した。ここだけ見たら、「韓国ってスゴーイ」ということになる。

ところが、KTXの実態は「危うさの塊」だ。

基礎工事の手抜きと、その対策の放置。原因不明の故障の多発と、原因不明のままでの運転再開。韓国鉄道公社を覆《おお》う「危険不感症」……。

切り口を変えれば、〝滅公奉私《めっこうほうし》〟に徹した汚職、今日の両班（ヤンバン＝貴族）文化とも言える3K仕事の忌避《きひ》、ケンチャナヨ（マニュアル無視）行動の闊歩《かっぽ》などなど。

韓国の産業文化の宿痾《しゅくあ》が総結集したシステムこそKTXではないか、と思えてくる。

18年12月、江陵《カンヌン》からソウルに向かったKTXが出発から5分後に脱線した。10両編成の

うち9両が脱線、先頭の2両は線路から大きくはみ出した。江陵市は平昌《ピョンチャン》冬季五輪のスケート会場があった所だ。とはいえ、五輪が終わればただの過疎《かそち》地。乗客は198人しかいなかった。それも幸いしたのだろう。人的被害は、軽傷3人（事故から2日後には16人に。補償金狙いかな）で済んだ。

江陵からしばらくは単線だ。単線の新幹線!? いや、日本の過疎地も真似したらいいかもしれない。日本の列車運行ノウハウをもってすれば、安全性に問題はないだろうから。

日本ではほとんど知られていないことだが、KTXは大部分が在来線と同じ軌道を走行している。新たな幹線軌道を敷設《ふせつ》したうえで……ではないから、KTXは「韓国の新幹線」ではなく「韓国の高速列車」なのだ。

江陵からしばらく走行すると複線区間になる。上り専用軌道へ切り替えなければならない。ところが、その切り替え機（ポイント）の制御システムが故障していた。それで、切り替え用の軌道には入ったが、上り軌道に車輪が入れないまま脱線した。

金正恩様をお乗せするはずが

それまでにKTXは3回脱線している。うち1回は、二重衝突事故になった。ちなみに、新幹線の営業運転中の脱線は04年の中越地震の時の1度だけで、負傷者なしだった。過疎地での単純脱線事故で死亡者はなし――韓国人の感覚からしたら「たいしたことない」はずだ。

ところが文在寅《ムンジエイン》大統領は、「徹底した事故の原因究明と再発防止」を指示した。国土交通相も現場を視察した。これまでの脱線事故とはぜんぜん違った。なぜだ。

どうやら韓国の政権は、北朝鮮の金正恩《キムジョンウン》労働党委員長のソウル訪問が近々にも実現すると本気で思っていた。

金正恩氏の実妹である金与正《キムヨジョン》氏は平昌五輪の際に訪韓して、KTXに乗った。そして文在寅氏が訪朝した時、金正恩氏はKTXを褒めた。それは、金与正氏の報告に基づくのだろう。

ならば、金正恩氏が韓国に来たらKTXに「お乗せしなくてはならない」と文在寅グループは考えた。そのKTXが……とでも考えなければ、この時の韓国の政権の慌てぶりは説明しがたい。

では、「徹底した事故の原因究明」はできたのか。

ポイントの異常を指令所に伝えるケーブルの配線が間違っていたことまでは明らかなようだ。それなのにほぼ1年間、間違った配線のままで事故が起きなかったのはなぜか。

誰かが配線をいじったのではないか。配線をいじること自体、専門技術者でないとできない。侃々諤々《かんかんがくがく》の末、専門家が述べたのは「システムそのものが初めから間違っていた」。

もう1つある。ポイントの異常を知らせる信号が江陵の指令室に何度も届き、修理班が向かった。しかし、別のポイントを整備して「修理完了」とソウルの総合指令所に連絡した。

それでソウルは問題解決と思い込み、列車に上り線への進入を指令した。職場のホウレンソウ（報告、連絡、相談）がなっていないのだ。

KTXの最初の脱線事故は、11年2月に光明《クアンミョン》駅の近くで起きた。やはりポイント故障だった。列車全体が別の軌道に入り切っていないのに、途中でポイントが動いてしまった。この時も異常信号が届き、修理班が出た。しかし、原因が分からないまま、自動切り替えを手動切り替えに強制変更してＯＫサインを出していた。

締結器具の9割が基準と異なる取り付け方

京釜線《キョンブ》（ソウル－釜山）の2期工区（大邱－釜山）は、新たにレールを敷設したＫＴＸ専用区間だ。在来線が走らないだけでも、安全度は高いはずだ。ところが開業を前に、とんでもない事実が明らかになった。

一部区間の枕木を検査したところ、その0・15％の枕木に亀裂が入っていた。枕木といっても、コンクリート基盤の上にコンクリート製の枕木を置くスラブ軌道だ。

締結器具の内部に使用していたスポンジが水を吸い、寸法に狂いが生じたのが原因とされた。15万５０００本の枕木はみな同じ締結器具だ。いまは0・15％でも、将来はどうなるのか。

当局が取った手法は、まさに〝ディス・イズ・コリア〟だった。亀裂が見付かった枕木は、亀裂部分を削り、強度がある特殊コンクリートを注入した。まだ亀裂が入っていない枕木はスポンジを除去し、グリースを注入して一件落着。10年11月にめでたく営業運転を開始した。

しかし11年5月には、締結器の一部が、契約条件とは異なり、安価な中国製だったことが分かった。

中国は、大事故があったとはいえ新幹線大国だ。中国製だからといって、直《ただ》ちに安全性に問題が出るわけではない。それでも、韓国が定めた安全基準検査を受けたわけではない。納品検査の担当者は何をしていたのか。決まっているではないか。業者とつるむことこそ、朝鮮半島伝統の文化なのだから。

さらに、監査院（日本の会計検査院に該当）が営業開始から9カ月の時点で調査した結果を、朝鮮日報（12年2月8日）が特ダネ報道した。

調査報告書のタイトルが、「KTX京釜線第2期工区間のコンクリート軌道の手抜き工事に伴うKTXの安全運行への脅威」というだけでスゴーイだ。

これも一部区間の抽出調査だが、「亀裂の入った枕木が増加し、亀裂も広がっている」とするとともに、締結器具のなかの弾性パッド（衝撃緩和剤）の問題点を指摘している。

締結器具の9割が基準と異なる方法で取り付けられており、5年以上は保《も》つはずの弾性パッドの硬化が早くも始まっているというのだ。

9割が基準と異なる方法で——この本の前編に当たる『なぜ日本人は韓国に嫌悪感を覚えるのか』(飛鳥新社)を読んだ方なら、記憶に残っていようか。韓国の作業現場では「ケンチャナヨ」とともに、「ヒムドゥロヨ」の声が頻繁に聞こえてくることを。

「ヒムドゥロヨ」とは「厄介だ」「面倒くさい」といった意味だ。

この作業は「ヒムドゥロヨ」、でもここを手抜きしてもちゃんと収まる。ならば、手抜き方法で「ケンチャナヨ」(かまわないさ)というわけだ。

第2工区はトンネルが多い。最長のトンネルは金井《クムジョン》トンネルで、20・3キロある。新幹線の新丹那《しんたんな》トンネルが8キロ弱だから、これは長い。

そのなかにカーブ区間が8カ所、勾配《こうばい》区間が9カ所もある。コース設定そのものが間違いではないのか。

頻発するトンネル内での立ち往生

開業以来、このトンネルのなかでKTXが立ち往生する事故が4回起きていたが、12年7月に発生した5回目の立ち往生は1時間に及んだ。

原因はモーター冷却器の故障だった。ＫＴＸのモーターには冷却機が２つ付いている。１つが故障しても走行できることが自慢だったのだが、ソウルを出て10分後に１つの冷却機がダウンした。もう１つの冷却機で走行を続けたのだが、金井トンネルの上り勾配区間で、それもダウンしてしまった。

モーターが動かないので停電して真っ暗。真夏のトンネルでクーラーもストップだから、地獄の１時間だ。

鉄道公社が、この事故を消防当局に通報しなかったのも驚きだ。やがてトンネルの入り口付近に救急車が到着したが、これは乗客が携帯電話で要請したためだった。

ＫＴＸは、潤滑油を大量に使う。車輪の摩滅を防ぐのが主たる用途だという。ところが、12年から16年にかけて納入された潤滑油３６５０リットルが、スイスのブランドを偽造した不良品だった。

これを報じたＭＢＣ放送（16年10月13日）によると、通常の潤滑油の引火点は２００～３００℃だが、納入された潤滑油は94℃だった。

列車走行時の一般的なレールの温度は55～65℃だというから、「不良品でもケンチャナヨ」なのか。

事態の発覚は当局の内部監査ではなく、スイスのメーカーからの抗議だった。当局の対応は、ＭＢＣによれば「調査が終わり次第、担当者を懲戒し、納入業者を入札制限にしたい」と、えらくのんびりしたものだった。

朝鮮半島伝統の文化からすれば、直接の担当者は幹部に上納金を渡していたのだろう。直接の担当者は、おそらくトカゲの尻尾《しっぽ》だ。

“故障当然論”が溢れている

純正潤滑油を使ったところで、列車の車輪は走行中に傷つく。それで「削正《さくせい》整備」が不可欠となる。ところが監査院の調査によると、「削正整備対象の欠陥が確認されたＫＴＸ車輪３０２７個のうち21・６％である６５５個は整備が直ちに行われないまま運行された」（ニュース1、16年4月27日）という。

「ブレーキ機能を担当するＫＴＸの『モーターブロック』装置が主要部品（インバータ）の頻繁な故障により、年平均１７０件の作動停止現象が発生しているのに、ソフトウェア改善を通じた故障防止など、根本的な解決策なしに部品交換だけ繰り返している」（同）とも。

韓国人は手が汚れる仕事を嫌う。「機械のメンテナンスは、下人《げにん》がする仕事」といった思い込みが韓国社会全般に広がっている。

偉い人（両班）は机の前で書物を読むのが仕事で、その指図で力仕事をするのが奴婢《ぬひ》という時代が長く続いてきたからだ。

自分の仕事を「下人がすること」と思っていては、匠《たくみ》はおろか、その道のプロになろうという意欲も湧かないだろう。

ＫＴＸの整備も、そうした伝統意識が強く影響しているのだと思う。

11年5月、納入されて間もない新型ＫＴＸのモーター減速機の固定台2カ所に「深刻な亀裂」があることが発見された。

モーター減速機とは、モーターブロックから発せられる動力を制御する装置で、重量はおよそ350キロ。車両の下部に設置されているから、走行中に線路上に落下したら大型事故は必至だ。

製造して間もないＫＴＸの新型車両の一部に「深刻な亀裂」があるだけでも驚きだが、車両メーカーである現代《ヒュンダイ》ロテム（現代自動車グループ）のコメントがスゴーイ。

「いまは製造からあまり時間がたっておらず、いわば安定化に向けた期間だ。そのため、ある程度の故障は避けられない」（朝鮮日報11年5月12日）と述べたというのだ。

こうした〝故障当然論〟の感覚は、車両メーカーだけではない。

11年2月、KTXの感熱装置から警告音が出て停車、目視検査をしたが異常なし。なぜ警告音が出たかは不明のまま運転を再開したことがある。

「またか」の批判を浴びた鉄道公社の社長や幹部の反応を、中央日報（11年2月28日）が伝えている。

「何が事故なのか。人がけがをしましたか。何か大変なことになったかのように……ただの小さな故障なのに」

「高速列車には数え切れないほど多くの部品があり、1カ所くらい故障することはある」

車両メーカーにも運行主体にも、〝危険不感症患者〟が溢れているのだ。

「韓数字」は嘘を吐く

KTXはこれまでに、どれだけの事故、故障を起こしているのか。鉄道公社はかねて「（韓国の鉄道全般の）安全性と定時運行率は世界1位」と宣伝してきた。「数字は嘘を吐《つ》かない」と。

しかし、KTXだけでもあまりにも事故、故障が多いので、国土交通省が鉄道公社の資料を検証したことがある。12年のことだ。

その結果は、「10年には脱線事故が4件、踏切事故が17件発生したにもかかわらず、脱線事故0件、踏切事故8件と報告」「定時運行率も、わずか5カ国との比較で世界1位と発表していた」（朝鮮日報12年12月26日）。

この朝鮮日報の記事も、全体の数字は伝えていない。国土交通省は鉄道公社の監督官庁に当たるが、実は両者は半島の伝統文化にドップリと漬《つ》かった仲だ。

韓国紙の表現を借りれば〝マフィア的癒着関係〟にあるのだから、都合の悪い事実、真相は出てくるはずがない。

18年12月の脱線事故の直後、JTBCテレビが「日本の新幹線が脱線しない秘訣は」と題するレポートニュースを流した。そのサブタイトルが面白かった。

「保守作業を事実上毎日実施」……これがタイトルになる背後には、KTXのどんな実態があるのだろうか。

レポートの最後の言葉は、「（日本では新幹線の）メンテナンスコストを惜しまずにいます」だった。
KTXとは、疾走する「危うさの塊」なのだ。

14の常識

汚染水を垂れ流す
ケンチャナヨ原発

世界に〝放射能五輪〟という悪宣伝

その昔、日本には「アメリカの原爆は汚いが、ソ連の原爆はきれいだ」と、不思議な主張を展開する人々がいた。

韓国の放射線量の数値は全般的に日本より高い。が、韓国人は「日本の原子力発電と放射能は恐ろしいが、韓国の原発と放射能は問題ない」とばかりに、世界に向けて〝放射能大国・日本〟という悪宣伝を展開している。

朝鮮半島には「いとこが田畑を買ったら腹が痛い」という諺《ことわざ》がある。嫉妬《しっと》深いのだ。韓国人にとって、2020年の東京五輪は「日頃から仲の悪いいとこが田畑を買った」に等しい。

2020年五輪の開催地が東京にならないよう、韓国は汚い工作をした。国際オリンピック委員会（IOC）での開催地決定投票の直前に、放射能汚染の危険性を挙げて、「福島など8県の水産物輸入を禁止する」との緊急措置を発表した。

各国のIOC委員に〝放射能大国・日本〟の危険性を印象付けて、「開催地・東京」に票が行かないよう企《たくら》んだのだ。

東京五輪まで、あと1年とない。韓国はいま再び、東京五輪を貶《おとし》めようと持ち出してきた材料が「日本の放射能」だ。

東京五輪を「放射能五輪」と呼び、世界各国に「放射能五輪ボイコット」を勧奨する動きを見せている。これを許しておいていいはずはない。

しかし日本としては、はるかに鋭敏に対応すべき別次元の課題がある。福岡市から200キロの釜山市近郊に、韓国の危険な原子力発電所が密集していることだ。事あれば西日本はもとより、日本全土に災禍が降りかかる。

日本に恥辱を与えてやれ

戦後70年余、反日種族の対日感情が良好だった時期はない。

現在は、いわゆる徴用工判決に対して、日本政府が「解決ずみ」と繰り返したことで高まった反日意識が、日本の輸出管理強化により、さらに高まった状態だ。

こうなると韓国の反日派は、反日の坩堝《るつぼ》の火力をさらに高めようと、燃える材料なら何でもいいとばかりに投げ込む。

その結果、燃え上がっている炎の1つが、〔18の常識〕で取り上げる対日不買運動だ。そしてもう1つが、東京五輪を貶める運動だ。

2019年7月5日、韓国大統領府の国民請願（ネット）に「東京五輪ボイコットを」とする要求が載った。その趣旨説明文の内容はこういうものだ。

「私は、日本の最大のアキレス腱に触れ、日本の屈服を誘発するか、恥辱を与えようと思う。

日本は東京五輪を通し、日本の失われた位相《いそう》を取り戻そうとしている。しかし、多くの非公式資料によると、東京の放射線レベルが高いのみならず、福島産の農水産物がホテルなどに低価格で供給されている。

したがって、これを理由に東京五輪ボイコットの予定を発表することにより他国の関心を誘導すれば、かなりの効果がある」

つまり、「放射能問題は日本のアキレス腱」と見て、放射能問題を嫌がらせの材料に使って、日本に恥辱を与え、あわよくば他国もボイコットに引き込もう――というのだ。

韓国は花崗岩《かこうがん》地域が多いため、そこから発生するラドンの影響で、日本より放射線量が高い。もちろん、ソウルのほうが東京より高い。公式の数値は何度も明らかにされている。政権ベッタリの新聞のハンギョレ（19年8月10日）ですら、東京も南相馬市も放射線量は正常範囲に入ると報じている。しかし、反日に燃える人々は「読みたくない記事」は目に入らないのだろう。

福島のサクランボは相変わらず高価だし、福島産だからと日本酒を値引きして提供するホテルを私は知らない。

が、彼らにとっては事実関係などどうでもいいのだ。〝放射能大国・日本〟のイメージを世界に拡散し、東京五輪に泥を塗れればそれでいいのだ。

実際に韓国政府がしていることは、まるでこの国民請願に沿っているように思える。もしかしたら、この国民請願は国家情報院（旧ＫＣＩＡ）の心理戦団（ネット工作要員）の手によるものかもしれない。

19年8月以降の韓国政府と五輪関係者の動きを見よう。

▽日本から輸入する石炭灰（セメントの材料）の放射能検査強化を発表。

▽日本から輸入する廃プラスチックなどリサイクル用廃棄物の放射能検査強化を発表。

▽東京五輪の関連会議で韓国代表者が、福島産食材の安全性について懸念を表明。

▽外交省が、福島第1原発の処理水の海洋放出計画について日本政府の公式回答を要求。
▽文化体育観光相が、選手の安全を考慮し、日本でのトレーニングキャンプ実施を再検討すると表明。
▽福島第1原発の処理水について、国際原子力機関（IAEA）に「深刻な憂慮」を伝達。
朝鮮日報（19年8月14日）によると、韓国政府が原発のトリチウムを含む処理水を問題として取り上げたのは、文在寅《ムンジェイン》大統領の指示によるという。

彼はG20で来日した際、「東京五輪が成功裏に開催できるよう誠意を尽くして協力する」（17の常識）参照）と述べたのだが、やはり裏では……ということだ。

それで韓国政府は、福島第1原発の処理水（韓国の報道では「汚染水」と呼ぶ）に熱心なわけだが、ネットメディア「アゴラ」（19年9月9日）で、元原子力発電環境整備機構理事の河田東海夫《かわたとみお》氏がバッサリと斬っている。

「イチャモンをつける韓国の月城《ウォルソン》原発からは、福島の総量の8倍以上のトリチウムを日本海に放出」と。

それでも、自然界からの年間被曝《ひばく》量に比べると、まったく問題にならないレベルだという。

もちろん、韓国の科学技術院の官僚が、そうした事実を知らないはずはない。しかし、大統領の〝裏命令〟により、国家として「東京五輪への嫌がらせ」に走っているのだから、この国の官僚は押し黙っているだけだ。

自賛に気恥ずかしさなし

「日本の原発と放射能は恐ろしいが、韓国の原発と放射能は問題ない」という反日種族の姿勢は、どこまで本気なのだろうか。

生まれた時から反日意識を植え付けられて育った反日種族のほとんどは、本気でそう信じているのではないかと私は思う。

マスコミの影響が大きい。

韓国の新聞のなかで、原発事故報道に熱心なのはハンギョレだけともいえる。ハンギョレの報道姿勢は〝左翼型環境原理主義〟に基づくようだ。

「脱原発」を掲《かか》げる文在寅大統領も〝左翼型環境原理主義者〟と思われるが、不可解さがある。国内では「脱原発」なのに、海外に向けては「原発輸出促進」であることだ。

ハンギョレに比べたら、部数では圧倒的に多い保守系各紙は、原発事故報道を抑制気味だ。むしろ何かにつけ、「韓国の原発技術の優秀さ」を際立たせる。

保守系紙が「脱原発」に反対しているのは、国内でそんな政策を掲げたら、原発輸出に支障を来《きた》し、「優秀な原発技術」が宝の持ち腐れになる――という視点からだ。

韓国のマスコミは、まるで義務であるかのように、年に何度かは自画自賛の報道をする。原子力発電所の建設・運用技術が、テーマになることもある。

中央日報の「世界最高レベルの韓国原発……日米仏より高い稼働率93％」（09年12月28日）との見出し記事は、その典型だった。

「韓国原発の技術競争力は世界最高レベルだ。稼働率を見てもそうだ。昨年の国内原子力発電所の稼働率は93・4％で、日本（59・2％）・米国（89・9％）・フランス（76・1％）よりも高い。稼働率が高いということは故障が少ないという意味であり、それだけ原子力発電所の建設が優れ、徹底的に管理されているということだ」

「韓国は原発の設計・部品・建設・運用など、全分野にわたり高い技術水準を誇る」

「韓国の研究力と全体的な産業発展が、今日の原発技術競争力を確保することになった源泉といえる」

甲状腺癌発生率は3倍以上

日本に最も近い古里《コリ》原発は、１９９０～97年にかけて、甲状腺癌を誘発する放射性物質ヨード１３１の排出量で世界最高を記録した。「徹底的に管理されているということだ」とは、なんとも空々《そらぞら》しい。

そして２０１５年になってから、ソウル大学予防医学研究チームの調査の結果、古里原発近隣住民の甲状腺癌発生率は、他地域に比べて３倍以上に達することが明らかになった（ハンギョレ15年10月14日）。

ハンギョレ（16年3月11日）の関連報道を見ると、１９９０～97年のヨード１３１の排出量は、日本の原発の２９６２万倍、ドイツの原発の１６００万倍だったという。「万倍」とは誤植ではないかと思ったが、紙面には基礎的な数値が載っていた。誤植ではない。

聯合ニュースが、まだ〝国営通信社〟らしからぬ報道をしていた時代のことだ。

「韓国原発で相次ぐ事故、３年間で８件発生」（11年4月20日）という記事を配信した。

「韓国原子力安全技術院（ＫＩＮＳ）によると、この３年間で古里原発では８件の事故が起きた。1～4号機のうち、3号機で最も多い4件、2号機で3件、1号機で1件となっている」

「11年2月28日に商業運転を開始した新古里1号機でも、昨年からの試運転で計8件の事故があった」

ならば見出しは、「3年間で16件」とすべきだったのではないのか。

試運転中は別だとしても、新しい原発、つまり国産化比率が高まるほど事故が多いことが分かる。

建設・運用はケンチャナヨ

中央日報の自画自賛記事から9年余。韓国の原発ハンビッ1号機で事故があった。

ハンビッ1号機は18年8月に運転を停止し、原子力安全委員会が86項目の検査を実施した。そして、検査合格の初日に「蒸気発生器で高水位現象が発生し、受給水ポンプ稼働が自動で停止」（中央日報19年5月12日）した。

どういう事故なのか、記事を読んでもよく分からない。それにしても、10日午前の事故の報道が、なぜ12日午後なのか。いや、それでも報道しただけマシというべきか。国営通信社の韓国語サイトを検索しても、何も出てこなかったのだから。

21日になって、ようやく中央日報の続報があった。

「10日午前10時30分。制御棒制御能力測定試験中に、原子炉の熱出力が事業者の運営技術指針書制限値の5％を超過して約18％まで急増。午後10時2分になってようやく原子炉を手動停止」

「関連免許がない職員が制御棒を操作した」

「当時の現場運転員は関連規定を熟知していなかった」

制限値を13％もオーバーしているのに自動停止機能が働かず、手を付けられないまま12時間近くが過ぎたところで、やっと手動停止に成功した――ということなのだろう。

21日の記事の末尾にこうある。

「1月21日には月城3号機が自動停止し、停止過程で煙と火花が出る事故もあった」

「1月24日には、定期検査を終えて稼働を準備していたハンビッ2号機が突然停止した。運転員が蒸気発生器を誤って操作したことで発生した」

その都度は報道せず、まとめてのお知らせだ。それでも、報道しない国営通信社や他紙よりはマシか。

日本に最も近い古里原発では14年8月、集中豪雨で統合状況室が浸水し、運転を停止したことがあった。念のため、歴史的な大津波によるのではない。

やはり、古里原発でのことだ。

溶接部分の定期検査が30年にわたり、指定箇所とは違う部位を対象に実施されていたことが14年9月になって分かった。マニュアル無視が当たり前のケンチャナヨ（構わないよ）文化の検査だ。

17年3月には、海洋管理法で有害液体物質になっている消泡剤《しょうほうざい》を使用していただけでなく、それを海洋投棄していたことも判明した。

18年5月には、古里原発3号機と4号機の建屋《たてや》内部の鉄板が厚さ基準を満たしていないことが判明した。「施工上のミス」とされる。

基準未達の鉄板は「全部替えることになると、原発の安全性に無理を与える」（ハンギョレ18年5月23日）とは、なんとも理解できない説明だ。ともかくそういう理由で、腐食した鉄板だけ取り替えて運転続行というのだ。稼働率が高いはずだ。

韓国の原発は、ケンチャナヨ精神で建設・施工され、その運用もケンチャナヨ精神なのだから、危うさの塊のようなものだ。古里原発は釜山より東にある。

「韓国は現在24基の原発を運転中だが、過去40年間の運転で1件の事故もなかった」

これは18年11月、チェコを訪問した文大統領がチェコの首相に述べた言葉だ。こんな大嘘が許されていいのか。現実は、こんな大嘘を吐《つ》く人物が取り仕切る国が韓国なのだ。

朝鮮日報（19年9月8日）は、「仁川《インチヨン》市からわずか330キロメートルしか離れていない山東半島」に中国が原発3基を建設していることを取り上げた。

「中国で原発事故が起き、放射能汚染物質が偏西風や海流によって韓半島に流入すれば、その被害は想定困難」と。

朝鮮日報の記者は、古里原発と福岡市が200キロしか離れていないことを知らないのだろうか。

15の常識

韓国海軍の笑えない現実

発電機修理に1年もかかる技術力

海上自衛隊が、2018年10月に韓国・済州島《チェジュ》で行われた国際観艦式に、決然と「参加拒否」を通告したことは〝一連の流れ〟の締めくくりとしては良かったと思う。

しかし、韓国のやり口を学んでいれば、観艦式への参加打診があった時点で「国際慣行を遵守して実施します」との一札を取っておくべきだった。もとより約束も条約も守らない国だが、一札あるのとないのとでは、結論は同じだったとしても交渉の展開が全然違っていたはずだ。

韓国海軍は上陸用強襲艦に「独島《ドクト》」と名付けている。独島とは、竹島の韓国名だ。1800トン級の潜水艦には「安重根《アンジュングン》」、「尹奉吉《ユンボンギル》」と命名している。伊藤博文を襲ったテロリスト、そして天長節・上海爆弾テロ事件の実行犯の名前だ。

こんな艦名を見ただけでも、韓国が日本を仮想敵国にしていることは明らかだ。

しかも韓国の文在寅《ムンジェイン》政権は、中国に「三不の誓い」を提出している。

その第3項目は「韓米日関係を軍事同盟に発展させない」。それを根拠に、韓国の海軍は日米韓の合同海上演習に参加しても、実際には日本との演習をしない。演習が終わってからの自衛艦の韓国寄港さえ拒否している。

そんな国は、非常の際に隊列を組める相手ではない。

ここでは、韓国海軍の主要艦艇の性能を中心に、その実態を韓国の報道から炙《あぶ》り出してみよう。

「独島」（1万4000トン）は、ある時は「輸送艦」、ある時は「軽空母」と、マスコミの枕《まくら》詞《ことば》が変わるが、「ヘリコプター7機と戦車6両、上陸突撃装甲車7両、トラック10両、野砲3門、高速上陸艇2隻を搭載して最大700人あまりの兵力を運ぶことができる」（聯合ニュース韓国語サイト2013年9月10日）というのだから、立派な上陸用強襲艦だ。垂直離着陸機も運用できるという。

「独島」の試験航行に際して、中央日報（07年10月1日）の軍事専門記者は「中国、日本の海軍に対抗して、北東アジア戦略の均衡を維持するのに活用される」と書いた。記事には北朝鮮の「キ」の字も出てこない。

それから3年ほどのち、黄海を航行中の「独島」の発電機から出火した。中央日報（13年9月11日）は「2基の発電機があり、うち1基が火事で作動できなくなり、別の1基は消火作業中に海水が流入して作動を止めた」と伝えた。

この報道も事実として、別の事実も明らかになった。「独島」には発電機が4基設置されていたというのだ。

ところが「4基のうち2基は、4月に乗務員の水タンクのバルブ操作ミスで発電室が浸水して故障」「故障した2基は修理のために陸揚げして運航していた」(朝鮮日報・韓国語サイト13年9月13日)。

水タンクのバルブ操作ミスとは、乗務員の練度の低さを物語る。

「独島」は海水を浴びて停止した発電機を修理できないまま、海軍基地に曳航《えいこう》された。そして「火災で壊れた発電機2基は修理に1カ月ほどかかり、浸水した2基は部品を外国から持ってこなければならず、修理は来年4月頃までかかる」(前出・朝鮮日報)と分かった。

勇壮《ゆうそう》な上陸用強襲艦の発電機は外国製だった。部品を発注し、修理し、再び据《す》え付けるまでに1年を要するというのだ。

韓国のマスコミはどういう神経で、日頃の紙面に「技術大国・韓国として……」「わが国の優れた技術で……」などと書いているのだろうか。

船舶の発電機故障は恐ろしい。すべてが機能しなくなる。レーダーも効かなくなる。

12年12月、駆逐艦「乙支文徳《ウルチムンドク》」で発電機2基が突然故障して停電し、真っ暗な海を照明もないまま5時間ほど漂流する事故があった。

海軍は事故を隠していたが、13年10月になって明るみに出た。

中央日報（13年10月23日）が、こう報じている。

「（乙支文徳には発電機が4基あり）残り2基の予備発電機を稼働させようとしたが作動しなかった」

「平沢《ピョンテク》の西海第2艦隊とも交信を図ったが、今度は通信室の通信機が作動しなかった。通信室に置かれた非常用バッテリー12個のうち9個が不良品で……」

韓国の軍艦の日常的なメンテナンスはどうなっているのだろうか。本書では何度か、韓国人が「手を汚す仕事」「汗をかく仕事」を蔑視《べっし》していることに触れてきた。機械のメンテナンスは、韓国人が最も嫌う仕事なのだ。

対空砲が自艦に搭載したヘリコプターを撃つ

話を「独島」に戻す。

「独島」は、この火災の前から別の大きな欠陥が指摘されていた。

艦尾の自動照準対空砲の設置高度に計算ミスがあり、自艦に搭載したヘリコプターを撃ってしまう可能性があることだ。この対空砲の愛称は「ゴールキーパー」。それが「オウンゴール」するというのだから落語だ。

しかし、この欠陥は目下のところ問題にならない。なぜなら、搭載できる塩害防止機能を施《ほどこ》したヘリコプターが韓国軍にはないからだ。もちろん垂直離着陸機もない。

日本人は、搭載機もないのに軽空母を建造することを不可解と思うだろう。しかし、「外華内貧《がいかないひん》」と言うべき韓国人の性癖を知れば、容易に理解できる。簡単に言えば、ハリボテで大満足するのだ。

拙著『なぜ日本人は韓国に嫌悪感を覚えるのか』（飛鳥新社）で韓国型機動ヘリのスリオンについて紹介したが、組み立てメーカーKAIは、その海軍向け仕様改修に取り組んだ。そして2018年7月、試験飛行に漕ぎつけた。

しかし、浦項《ポハン》にある海兵隊基地から飛び立って5秒後、高度10メートルのところで回転翼がすべて軸から外れて飛び散り墜落。搭乗していた兵士5人が死亡した。

「独島」に搭載するヘリは当分、完成しないだろう。したがって「オウンゴール」もまだ当分の間、問題にならないというわけだ。

18年10月の国際観艦式を前にして、韓国ネットには、式典の旗艦を「独島」に変えるべきだとの主張がアップされ、多くの支持を集めた。観艦式のハイライトである査閲《さえつ》では、参加した各国艦艇の乗務員が甲板に整列して旗艦に向けて敬礼する。

海上自衛隊員に「独島」に敬礼する屈辱を味わわせることにしてやれ。そうすれば、日本は観艦式をキャンセルしてくるだろう——というのだ。自分で招待しておいて、どこまで姑息《こそく》で無礼な国民性なのか。

しかし考えてみれば、「独島」には目下のところ、それぐらいしか外部に対する利用価値がない。国内に限れば、全長199メートル、幅31メートルの飛行甲板は、たくさんの人を招くのに好都合で、海軍の記念行事などに利用されている。それで、韓国の軍事オタクの間では、「上陸用強襲艦」や「軽空母」ではなく「イベント艦」が枕詞になっている。

ミサイルが発射直後に自爆

韓国海軍は〝立派な〟イージス艦を3隻保有している。その一番艦である「世宗大王《セジョンデワン》」

の進水式を前に、中央日報（07年5月25日）が勇ましく書いている。

「（独島艦に）世宗大王艦が加勢すれば、我々海軍の戦略能力が倍増する」

「これから世界最強の米海軍も韓国海軍に共助作戦を要請するなど、韓米関係がますます緊密になる」

「東海や西海に配置されていれば、多くの敵国の戦闘機は海を越えてくる前に邀撃《ようげき》できる」

やはり、韓国海軍の第一の仮想敵国は日本なのだ。

韓国海軍にとっては大誤算があった。ようやくイージス艦を建造したのに、米国が軍事衛星からの情報提供（データ・リンク・システム）に応じていないことだ。これでは「韓米関係がますます緊密になる」どころか、イージス艦そのものがソフトのインストールされていないスパコンみたいなものだ。

米国の姿勢が、盧武鉉《ノムヒヨン》政権の反米・親中姿勢をにらんだものであることは明らかだ。李《イ》明博《ミヨンバク》政権は親米だったが、米国は情報提供拒否を変えなかった。

それは賢明な措置だった。次の朴槿恵《パククネ》政権は露骨な親中に傾き、いまの文在寅政権は従北が明瞭だ。米国は韓国に兵器は販売しても、肝心な部分はピシャリと閉じている。

軍事に限らず、韓国に重要情報を渡したら、北朝鮮や中国に筒抜けになりかねないからだ。

イージス艦に搭載した対空ミサイルSM－2ミサイルの発射実験は失敗が続いた。

12年のリムパック（米海軍を中心とする環太平洋軍事演習）では、二番艦の「栗谷李珥《ユルゴクイイ》」が発射した対空ミサイル4発のうち2発が標的に向かうまでもなく、発射直後に自爆した。

14年には「栗谷李珥」に装備されている対魚雷欺瞞《ぎまん》弾（スクリュー音を目指して進んでくる魚雷を防ぐため、海中に投じると同じスクリュー音を出す装備）24発のうち18発が、海水で腐食して使用不能状態になっていたことが明らかになった。

すでに08年には、一番艦の「世宗大王」のスクリュー音が設定基準を超過したことが明らかになっていた。二番艦は基準内で収まっていたとしても、対魚雷欺瞞弾は重要だ。しかし、やはり日常点検を怠《おこた》っていたのだ。

安心して潜れない潜水艦

韓国の潜水艦保有は、1993年に遡《さかのぼ》る。ドイツから209型潜水艦（1200トン）を購入し、以後、2001年までに8隻を国内造船所でライセンス生産した。もちろん、重要部品はドイツからの輸入だ。

07年にはドイツの214型潜水艦（1800トン）を、初めからライセンス生産した。一番艦が「孫元一《ソンウオニル》」であり、三番艦が「安重根」、五番艦が「尹奉吉」だ。「孫元一」は就役後ほどなくスクリュー音が問題になった。ドイツメーカーの手により解決したと思ったら、次は原因不明の騒音。そして、11年4月から今日までドックに入ったままだ。

部品の国産化率を上げるためブラックボックス領域を分解した――つまり〝国技〟のパクリを試みたところ、元に戻せなくなってしまったという説が専《もっぱ》らだ。主力戦闘機F15Kをめぐっても同様の疑惑があり、米軍の対韓不信の大きな要因になっている。

09年12月に就役《しゅうえき》した「安重根」も、翌年春には運航を停止した。艦橋と本体との連結部にあるボルトが折れたり緩む事故が何度かあったためとされる。

ドイツのライセンス先から技術陣が来て、その問題は解決したそうだが、14年には輸入品ではなく国内で製造したスクリューに151カ所もの亀裂があることが発見された。

製造年度が遅くなるほど国産化率が高まり、故障が多くなる。潜水艦に限らず、戦車でも、高速鉄道車両でも事情は同じだ。きっと部品製造工程で「ほとんど同じものができたから、これでケンチャナヨ（大丈夫）」の伝統精神が働くのだろう。

214型は数週間の潜航が可能だとのカタログ性能も、韓国でライセンス生産したものでは達成できなかった。燃料電池に欠陥があるという。頻繁に停止するため、すぐに浮上せざるを得ないのだ。つまり、安心して潜っていられない潜水艦ということだ。

214型は、すでに七番艦が就役している。当然のことながら改良が積み重ねられたはずだが、基本部分に不安が残る。

それなのに、韓国はライセンス生産である214型を「韓国型」と称して輸出しようとしている。さらに、今度はライセンス生産ではなく独自設計による3000トン級潜水艦の建造を進めている。

北朝鮮の貧弱な海軍に対して、そんな大型潜水艦が必要なのか。いや、日本に対して必要なのだ。

軍トップも汚職をする国

最先端の海難救助艦「統営《トンヨン》」——中央日報（12年9月5日）が進水式に関連して、例によって絶賛記事を書いている。

「無人水中探索機は水中3000メートルまで探索が可能だ。サイドスキャンソナーは水底の物体探索が可能で、戦時に水中機雷などを除去できる」が、自慢のサイドスキャンソナーが、最先端どころか1970年代に製造された代物《しろもの》であることが明らかになった。「2億ウォン台のソナーを、特定の業者から41億ウォンで購入していた」（朝鮮日報14年9月19日）。

軍用衛星航法装置（GSP）ではなく商用GSPで、無人水中探索機もカタログ性能とは大違い。硬派の東亜日報（韓国語サイト15年9月11日）は、「完全なところがない統営艦」との見出し記事を掲載した。そして統営市では「恥ずかしいから艦名を変えろ」との市民運動が起きた。

ところで、サイドスキャンソナーの差額はどこに消えたのか。海軍参謀総長らが美味《おい》しくいただいていたことがのちに判明した。

自衛隊幹部はしばしば、韓国軍の将軍との個人的繋がりを自慢げに語る。「彼も表向きは対日強硬派だが、実は日本のことをよく理解していて……」などと。こうした認識が、自衛隊全体の対韓情報分析を甘くしているのではないか。

日本人に向かって話すことと、彼ら同士で話すことが全く違うのが韓国人だ。少なくとも、海上自衛隊にとって韓国海軍は友好を深めるべき相手ではない。

文在寅政権の下、韓国では「南北の軍事対決はもはやあり得ないこと」となった。ならば韓国海軍が存在価値を示すのは、「対日」しかなくなったのだ。

16の常識

美容整形する弱軍弱兵

新兵が部隊長を「おっさん」と呼ぶ

「軍人は士気を食べて生きろ」とは、韓国の国軍保安司令官だった盧泰愚《ノテウ》(のちに大統領)が1981年夏、自らの退役式で述べた言葉だ。

国軍保安司令部とは、国防相直属の公安情報部隊だ。北朝鮮情報の収集と国内の従北派の監視をする一方で、一定規模の戦闘単位に要員を送り込み、将軍から二等兵までの目立った動きを随時監視していた。

当時の韓国は「アジアの反共防波堤」を自任していた。自民党の国防族は、誰も「韓国軍の勇猛さ」を疑っていないようだった。

しかし、盧泰愚はその時、さまざまな報告から、軍内の士気の低下を感じ取っていたのではあるまいか。

韓国の保守政権は、盧泰愚、金泳三《キムヨンサム》で途切れた。そして金大中《キムデヂュン》、盧武鉉《ノムヒョン》の左翼政権が10年続いた。

金大中政権は、対北「太陽政策」を推進した。その一方、「北を刺激してはいけない」として韓国軍に冷水を浴びせた。

「本格的な民主化ムード」が沸きたつなかで、韓国マスコミは軍の「悪なる部分」を競うように暴いた。とりわけキャッチアップされたのは、「新兵いじめ」のひどさだった。

軍は「反軍世論」に膝を屈した。「新兵いじめ」の行き過ぎを是正するのに留まらず、「楽しい軍隊」づくりに動いた。生活館（兵士の宿泊用施設）にカラオケルームを造ったのは、代表的な「楽しい軍隊」施策だ。

部隊長を「おっさん」と呼ぶ新兵まで現れた。

盧武鉉は「軍に行くと人間が腐る」とまで述べた。徴兵制がある国で、大統領＝軍の統《とう》帥《すい》権《けん》者が「侮軍」を説いたのだ。軍の士気が地に落ちた。

韓国軍が弱体化することは、北朝鮮の願いだ。したがって、韓国の従北派の願いでもある。

盧武鉉政権が終焉《しゅうえん》し、親米派の李明博《イミョンバク》政権ができたあと、東亜日報（２００８年４月５日社説）はこう書いている。

「金大中、盧武鉉政権10年間の対北朝鮮認識の歪曲《わいきょく》が、社会の全分野に広まった」

「政府が先頭に立って、国防白書から『主敵』という表現を消し去り、大統領を含む政権の実力者たちは、太陽政策という幻想に浸《ひた》り、北朝鮮を批判する人々を守旧反動に追いやった」

しかし、李明博、朴槿恵《パククネ》政権の9年間は、金大中、盧武鉉政権により蔓延《まんえん》した対北朝鮮認識の歪曲を是正できないまま、従北派に政権を渡してしまった。

そして従北派の文在寅《ムンジェイン》政権はいま、公文書や教科書から「自由」という表現を削り、南北融和の幻想に浸り、政権を批判する人々を「親日残滓《ざんし》」として抹殺しようとしている。

軍事境界線で居眠り

大きな組織であればあるほど、一度緩んでしまった士気は容易に元には戻らない。「ノック亡命事件」は、韓国軍部の士気の緩みがどれほど深刻かを示した。

事件は12年10月2日夜に発生した。北朝鮮兵が1人、亡命してきた。

朝鮮半島を南北に分ける軍事境界線。そのラインから双方2キロが非武装地帯だ。といっても、この「非武装」とは「重火器は持ち込まない」という意味で、どこからが重火器に当たるのかは曖昧《あいまい》なままだ。

韓国側は軍事境界線から200メートルの地点に前方哨所《しょうしょ》を設けている。多くは半地下式のトーチカ陣営だ。軍事境界線と前方哨所の間には、3つの鉄柵がある。それぞれの鉄柵の上部は鉄条網が張られている。

亡命兵は三重の鉄柵を乗り越え、前方哨所の戸口を叩いた。が、反応がない。亡命兵はさらに200メートル以上南方にある後方哨所に付随する生活館まで行き、再び戸を叩いた。そして、ようやく出てきた韓国兵に「亡命してきた」と告げたのだ。

軍は数日後、「亡命兵士の身柄確保」を発表した。生活館の後方に設置されている監視カメラが捉《とら》えた亡命兵の姿を、生活館の状況室が気付いて……と。「ノックされて気付き」とは、恥ずかしくて言えなかったのだろうか。

が、それでも大問題になった。徹夜で監視しているはずの前方哨所は、なぜ3つの鉄柵を越えてくる亡命兵に気付かなかったのか。

グッスリと眠っていたのではないのか。中央日報（12年10月15日）はこう書いている。

「鉄柵GP（筆者注＝前方哨所のこと）や非武装地帯にいる兵士の中では、『勤務中にこっそりと眠る』というのが武勇談のように語られている。前より後ろを警戒しながらだ」

亡命兵ではなくゲリラ部隊だったら、最前線が破られていたところだ。

そうするうちに「監視カメラで……」は嘘で、「ノック亡命」だった事実が明らかになった。

どうやら、師団本部に派遣されていた機務司令部（保安司令部から改名）の要員が、いち早く「ノック亡命」だった事実をキャッチして司令部に知らせていたようだ。

亡命事件があった一帯を担当する第22師団は、やや遅れて第1軍司令部（東北部に配置された師団の統括組織）に「監視カメラで云々《うんぬん》は誤りであり……」とする修正通知メールを送信した。ところが、第1軍司令部の状況担当将校（少佐）は、そのファイルを開きもしなかった。

そのため、第1軍司令官（大将）は最初の嘘報告を信じたまま、合同参謀本部に報告した。合同参謀本部には、機務司令部の報告も届いていた。が、合同参謀本部の副官は「諜《ちょう》報《ほう》より公式ラインの報告を優先すべきだ」として、機務司令報告を合参議長に伝えなかった。

合参議長は何も知らないまま国会の委員会に出て、「監視カメラで発見し……」と報告したのだ。

見え透いた嘘の言い訳をして恥じない

〈13の常識〉で韓国高速鉄道の「ホウレンソウ（報告・連絡・相談）欠如」に触れたが、軍部もまったく同じだ。いや、徴兵制の国では軍とは国民の縮図なのだから、軍が「ホウレンソウ欠如」であれば、鉄道公社も「ホウレンソウ欠如」であるのは当然だ。

亡命問題は「合参議長が国会に嘘の報告をした」と飛び火して、第1軍司令部、第22師団に査察が入った。

最初に明らかになったのは、監視カメラがそもそも作動していなかったことだった。その言い訳が面白い。

「設定を間違えて入力したため、たまたまその時間帯だけ作動していなかった」

韓国軍とは、いや、縮図を拡大すれば韓国の国民とは、責任を問い詰められたら、こんな見え透いた嘘の言い訳をして恥じないのだ。

レーダー照射事件の際の〝後出し言い訳〟を思い出さざるを得ない。

「哨戒機《しょうかいき》が威嚇《いかく》飛行してきたから」と、韓国軍部は大嘘を吐《つ》いた。

監査では、それ以前にも未発表の「ノック亡命」が複数回あったことも明らかになった。第22師団の情報参謀は、問題の地点について「警戒施設を補強すべきだ」と建議していたが、師団長（少将）が黙殺していたことも分かった。

同じ師団のなかにいても、野戦軍系と情報系は仲が悪いのだ。合参の副官が機務司報告を無視したのも、同じ脈絡《みゃくらく》かもしれない。

ヘリコプターママ降臨

韓国人は、日本人の若者の何倍もスマホ好きだ。携帯電話の隊内持ち込みが禁止されていた時でも、兵士はこっそり持ち込んでいた。

なかには「これからボクは演習に行きます」「ボクが乗るトラックはこれです」「軽機関銃は故障しています」といった具合に、映像付きでSNSに情報を流す兵士がいる。

彼らにとっては、入隊前にしていたことの延長に過ぎないのだろう。

しかし、こうした部分情報を大集積すれば、つまりビッグデータとして専門家が解析すれば、韓国軍の動き、装備、内部事情もすべて分かってしまう。

艦船からのスマホ発信は、敵に正確な位置情報を提供するのに等しい。しかし、兵士のスマホ持ち込みは、もはや抑えられないようだ。

ノック亡命事件があった当時ですら、「部隊指揮官は兵士がインターネットによくないコメントを載せないか恐れている」(前出・中央日報)状況にあった。

部隊指揮官がいまやもっと恐れているのは、兵士によるネットへの書き込みより兵士の母親かもしれない。

韓国の学校では、父母の怒鳴り込みが日常茶飯事《さはんじ》だ。

「うちのボクちゃんが膝をすりむいたのは体育の指導に問題があったからだ」などと喚《わめ》き散らし、担任の交代、あるいは学校による謝罪や慰謝料を要求するのだ。

同じことが軍隊でも起きている。

息子との通話で負傷したことを知った母親が、部隊長を通り越して師団長に抗議電話をする。それでケリがつかなければ部隊に乗り込んでくる。まさにヘリコプターママ降臨だ。

「新兵いじめ」で盛り上がった時の世論を背負ってまくしたてる。

そうしたトラブルを抱えた部隊長はたちまち昇進が止まってしまう。軍には階級定年がある。「○○歳までに少佐になれなかった者は除隊」といった規則だ。

そこにヘリコプターママまで絡《から》むから、将校は兵士に甘くなり、ますます士気が落ちていく。将校のあまりのだらしなさに、下士官が怒りを爆発させるケースも最近は増えているようだ。

ある工兵隊では、部隊長が兵士の父母に「ご子息を地雷除去作業に参加させてもよろしいでしょうか」との手紙を送り、父母の承諾を得られた兵士のみで作業していた。

これは「ヘリコプターママに対する部隊長の自衛行動」と言えるのだろうか。ともかく、もう普通の国の軍隊ではない。

これだけで北朝鮮は大喜びだろうが、2018年4月の南北首脳会談を受ける形で南北軍事合意が成立したことで、韓国軍の弱体化に拍車がかかった。軍事合意は「もう南北は敵ではない」という趣旨の具体化目標を満載している。非武装地帯の哨所の廃絶も、そのなかに入っている。北の工作員は、大手を振って南北を往来するだろう。

付けマツゲをした歩哨

かつて、朝鮮日報(13年4月18日)が「韓国の男性の10人に1人がメーキャップ化粧品を使っている」と報じたことがある。一見した時は、さして驚かなかった。が、使われている化粧品類のリストを見て驚愕した。

メーキャップベース(33・3%)、ファンデーション(31・1%)、アイライナー(26・7%)、マスカラ(20・0%)。

その後、韓国の男性用化粧品市場は高成長を続けた。そして同紙（17年4月18日）によると、韓国人男性の化粧品消費額は世界一になり、「2位であるデンマーク人男性の3倍」にもなるそうだ。

ここでも軍は国民の縮図だ。

「軍施設のゲートに立つ歩哨《ほしょう》が付けマツゲをしていた」と、韓国旅行から戻った日本人から聞いた時は「まさか」と思ったが、いまは「そうだろう」と思う。

化粧どころか、入隊中に美容整形をする兵士もいまや珍しくない。徴兵された時は二等兵だが、除隊前3カ月の時に兵長に昇進する。兵長になると労役がなくなり、訓練もサボれる。

その時が手術のチャンスだ。

朝鮮日報（17年1月2日）が、兵士の美容整形に関する軍の見解を伝えている。

「軍人服務基本法に整形手術を制限する条項は特になく……整形手術は事実上、許可されている」

軍には徴兵された医者（軍医官）がいる。新規開業する医師は美容整形科が圧倒的に多い。美容整形科の開業を目指す軍医官が恐れるのは、軍勤務中に腕が鈍ってしまうことだ。

中央日報（18年6月5日）が、軍医官から手術を受けた兵の言葉を伝えている。

「所属部隊にいるよりも手術を一度受けて軍病院で休むほうがいいという気持ちで手術を受けた」

「軍医官から『鼻を手術すればもっとかっこよくなる』と言われて手術を受けた」

軍事パレードの代わりに歌謡リサイタル

韓国の退役将軍から、「分列行進を見ると軍の練度がよく分かる」と聞いた。

「簡単そうに見えるが、小銃を担《かつ》いで、口を開けて息をすることもなく、かなり長い距離を一糸乱れずに行進するには〝きつい練習〟が必要なのです」と。

盧泰愚が退役してから程なく、ソウルの中心部で「国軍の日」の軍事パレードを見た。見物人が沸き返ったのは、新型兵器を積んだ車両ではなく、分列行進だった。「韓国軍は勇猛だ」と思った。

が、金大中政権の時からだと思う。軍事パレードは5年に1度だけ実施することに変わった。

03年、08年、13年には軍事パレードが行われた。18年は「建軍70周年」にも当たる。が、文在寅政権は軍事パレードを取りやめた。

中止の理由を国防省関係者が語っている。

「将兵が市街パレードのために苦労する」「今年は将兵が主人公として祝いを受ける行事として推進してきた」（中央日報18年10月1日）

化粧と居眠りに忙しい兵士に、分列行進のための〝きつい練習〟を強《し》いることは、もはや不可能になったからではないのか。

「将兵が主人公として祝いを受ける行事」として行われたのは、なんと歌謡リサイタルだった。

PSY（サイ）が例の黒メガネをかけて歌い、ガールズグループがケツ振りダンスを見せたのだ。

なるほど「楽しい軍隊」だ。亡びゆく国の姿だ。

17の常識

地に堕ちた「外交王」

G20で〝被害妄想爆弾〟が破裂

韓国マスコミの日本に関する報道には、「反日国家」ならではの独特の書き方がある。韓国のここ何代かの大統領の対日言動にも、「反日国家」の元首ならではの独特さがある。それはどんなふうに捉《とら》えておくべきなのか――大阪で2019年6月末に開催された20カ国・地域首脳会議（G20）での文在寅《ムンジエイン》大統領の言動と韓国マスコミの報道ぶりは、「反日種族のかたち」を捉えるうえで、格好のヒントを提供してくれる。

文大統領は6月27日午後、大雨の大阪空港に到着した。夫人とともに、傘を差しながら飛行機から降りた。

早速、韓国マスコミの〝被害妄想爆弾〟が破裂した。

「文大統領、激しい雨のなかで屋根なしタラップ……日本冷遇論に青瓦台《チヨンワデ》『礼を尽くすため』」（中央日報2019年6月28日）。

見出しとリード部分だけ読んだなら、文大統領は激しい雨のなか、大阪に到着したが、韓国を冷遇する日本は故意に屋根のないタラップを付けた。しかし、わが青瓦台（大統領府）は礼儀上、文句は言わないと表明した――と理解するのが普通だろう。

ところが、記事を読み進むと「空港到着時、開放型タラップを設置したのは写真取材の便宜などを考慮した韓国側の選択」「雨に少々打たれても、歓迎に出てきてくださった方々に礼を尽くすためのものでもある」とする青瓦台の説明がある。

ならば、この見出しは何なのか。

韓国人は「機能性文盲者《もんもう》」（文字そのものは読めても、長文を読解できない）の比率が高い。見出しとリード部分しか読まない人が多い。この見出しは、そういう層に向けて、「韓国を冷遇している日本」（冷遇されている被害者である韓国）というイメージを刷り込むのに格好なのだろう、と思えてしまう。

中央日報の記事は、空港への出迎えが阿部俊子外務副大臣だったことを挙げて、「（昨年5月）文大統領が韓日中首脳会議参加のために羽田国際空港に到着した時は、河野太郎外相が出迎えた」と続く。

韓国を冷遇する日本は出迎え人の格も落とした――と言いたいのだろう。しかしG20には、国家元首クラスだけで20人が、ほとんど同じ時間帯に到着する。

20人のなかの1人にすぎない韓国大統領のために、外相が出迎えに行けるか。

ベンツを持ち込んだお笑い

韓国人は、国内での日常的な儀礼でも、海外での外交行事でも、ともかく「格」に、どこまでも拘《こだわ》る。

漢字を忘れた韓国で、「国格」という、中国にも日本にもない漢字熟語（新聞に載る時はハングル書き）が創造されたのは、そうした拘りの故《ゆえ》だろう。

「国格は、韓国が日本より上なのだ」どころか、「わが民族のＤＮＡは世界一優秀」と真顔で言う国民なのだ。

であれば、Ｇ20の晩餐会《ばんさんかい》で、文在寅氏がメインテーブルに座れなかったことを〝主催国による不当な冷遇〟と見るのは、もう当然だ。

空港から宿舎のホテルまで、韓国は日本政府手配の公式儀典車両（トヨタのセンチュリー）を断り、韓国から大統領専用車を持ち込んで使った。

アメリカ、中国、ロシアも、いわば彼らの慣例どおりに国産の専用車を持ち込んだ。文氏は他の国を訪問した際には、その国の差し回し車両に乗っている（デイリーアン6月29日）。

「しかし、日本ではそうはしないぞ」という意地を見せたのだ。ところが、その持ち込み車両が、韓国国産車ではなくベンツだったのだからお笑いだ。

韓国政府は大統領の日程に合わせて27日夜、大阪のホテルで同胞懇談会を開催した。立食パーティーであり、在日韓国人ら370人が招かれたというが、報道陣を入れなかった。もちろん、あとでスポークスマンが説明するし、会場を立ち去る出席者にも聞けるが、やはり「普通の感覚の国」ではない。

間接取材の結果を見よう。ここで、文氏はこんなことを述べたという。

「どんな困難があっても、揺らぐことのない韓日の友好協力関係を築くために努力する」

どの口が言っているのだろうか。

「韓日関係は重要だ。隣国として共存しなければならない。難しい問題が生じているが、両国政府が知恵を集めて克服していかなければならない」

韓国人はしばしば、論理的に追い詰められると、自分の非を棚上げにして、第三者が語るような綺麗ごとを滔々《とうとう》と述べる。文氏も、これが得意技だ。

「(東京)五輪が成功裏に開催できるよう誠意を尽くして協力する」

ぜひ自分の発言を忘れずにいてほしい。なにしろ、この人は忘れっぽい。盧武鉉《ノムヒョン》政権は、いわゆる徴用工の一部に補償措置を講じた。つまり、韓国に個人請求権への支払い義務があることを認めた措置だ。

文氏はその時、責任者の1人として携《たずさ》わっていた。そんな重要なことすら忘れているのだから。

文氏は「日本の若者の間では『第3次韓流ブーム』が起きている」とも語ったという。

事実上の国営通信社である聯合ニュースの報道ばかり読んでいると、そんな対日認識に陥《おちい》るのだろう。

文在寅の〝両班型怠惰〟

G20に参加した各国首脳は活発に動いた。会っておいたほうがいい外国元首に、その国まで行かなくても会えるのだから、G20とは便利な場だ。

テレビ東京のニュース（6月28日）が面白すぎた。

――各国首脳が続々と会談に臨むなか、韓国の大統領は比較的ゆったりとした日程で大阪に滞在しています。

昨日午後、大阪入りして最初の日程は、先週北朝鮮を訪れたばかりの中国の習近平国家主席との首脳会談でした（筆者注＝そのあとに同胞懇談会）。……初日の主な外交日程はこの会談のみ。

そして今日、朝から各国首脳は精力的に会談に臨み、安倍総理はトランプ大統領と3カ月連続となる日米首脳会談を開催。

一方、文大統領は……午前中に出席する首脳会談はありませんでした――。

あとになって朝鮮日報（韓国語サイト7月8日）は、G20の首脳参加予定行事7つのうち4つに文氏は参加しなかったと報じた。

私は〝両班《ヤンバン》型怠惰〟なのだと思う。偉い人は会議から会議へ飛び回るようなことはしないという感覚だ。

この大統領のことを、韓国のネット左翼は「外交王」と持ち上げている。もちろん、外交に極めて長《た》けた人の意味だ。

韓国は、習近平氏にG20前の訪韓をしつこく要請した。「北に行ったからには南にも」と。が、叶わなかった。G20の場で、ようやく中韓首脳会談が実現したのだ。ここで文氏は改めて訪韓を要請したが、習氏は返答すらしなかったとされる。

習氏は安倍晋三首相の訪日要請には応諾した。「韓国の外交王」とは、スゴーイだ。

28日午後、G20が正式に開幕し、安倍首相が招待客を1人ずつ迎える歓迎セレモニーがあった。

安倍氏とフランス大統領はハグをした。安倍氏と文氏は簡単に握手して「終わり」。握手の時間は8秒だった。

韓国マスコミは、最後の最後まで「G20での日韓首脳会談」に期待していた。正式会談は無理でも、略式会談はあるだろうと信じているような報道ぶりだった。それは大統領府が、そうした期待をオフレコベースで述べていたからだ。

これぞ韓国の印象操作

では、なぜ彼らは日韓首脳会談をそんなにまで望んだのか。

1つは面子《メンツ》だ。

「日本ごときに無視されたくない」

「わが大統領が訪日したら、安倍は揉《も》み手をしながら近づいてくるのが当然だ」といった思いがある。

実利もある。

会談さえすれば、文氏は「日韓は未来志向が大切です」と、安倍氏に直接言える。「未来志向が大切です」という言葉に、「ノー」と答えるのはむずかしい。

いや、立ち話でも実現していたなら、安倍氏が何と答えようとも、韓国大統領府の公式発表は「わが大統領は『未来志向が大切です』と説き、安倍首相も同意した」だっただろう。

それにより、韓国は「対日2トラック路線」で日韓の合意が成立したと解釈し、歴史問題（慰安婦やいわゆる徴用工）とは離れて、経済協力を進めようと大攻勢をかける算段だったのだ。

G20は全体会議、個別セクション会議と進展し、韓国がメインテーブルに座れない午餐《ごさん》会《かい》へ。

「安倍と2分間でも立ち話さえすれば、こちらのものさ」と描いた作戦は、完全に潰《つい》えたのだ。

首脳会談の代わりだろうか。晩餐会のあと、河野太郎外相と康京和《カンギョンファ》外交相は20分ほど〝会談〟した。中身は双方の原則的立場の表明に過ぎなかったようだが、日本外務省のH

Pの表題は「日韓外相による立ち話」。

一方、韓国外交省の公式発表の表題は「韓日外交長官会同結果」。「立ち話」と「会同」……外交用語の「立ち話」とは略式会談の意味とされるが、中央日報（6月29日）は「立ちながらしたのではなく座って対話した」との韓国外交省当局者の発言を伝えている。

日本の韓国冷遇を際立たせてきた韓国マスコミは、日韓首脳の接触が8秒間で終わったことにショックを受けて、「韓国が完全に無視されたわけではない」と取り繕《つくろ》いに転じたようにも見える。

聯合ニュースは〝会同〟の記事に、両国のミニ国旗が飾られたテーブルの前で日韓外相が握手する場面の写真を付けた。

アレ、こんな格式ばった〝立ち話〟だったのかと思った。が、その写真は5月の経済協力開発機構（OECD）の閣僚理事会の際に行われた日韓外相会談の時のものだった。自国の国民を騙す印象操作ではあるまいか。

板門店でまさかの「別室待機」

29日午前のコーヒーブレイク。トランプ米大統領が文氏に近づいてきた。
――「私のツイッターを見ましたか」と尋ねた。文大統領が「はい、見ました」と答えると、「一緒に努力しましょう」と述べ、親指を立てた（聯合ニュース6月29日）。

韓国は、トランプ氏にもG20前の訪韓を求めていた。が、これも実現せず、G20の帰途に寄ることになった。

その日程が固まると、トランプ氏はツイッターで、金正恩《キムジョンウン》朝鮮労働党委員長に、半島を南北に分断する非武装地帯（DMZ）で挨拶を交わしたいと呼びかけた。

実際には、トランプ氏からの親書で「板門店《パンムンジョム》での出会い」は決まっていて、ツイッターは「出会い」を衝撃的に仕立てる演出に過ぎなかった。

が、「米朝の仲介者」を自称し、「外交王」と崇《あが》められる人物は何も知らなかった。

29日夜になって、韓国の政権は「トランプの話は冗談ではなく、本当だ」と悟った。それで慌てて「文氏が先に金正恩氏に会い、トランプ氏のところへ連れてくる形にしたい」

と米側に申し入れたが、あっさり拒否された。

これに先立ち、文氏は26日、「米朝を仲裁する役割を果たす」意欲を示したが、北朝鮮は27日、「朝米対話は南朝鮮当局が関与する問題ではない」とする外務省局長の談話を発表している。

韓国の大統領は、米国からも北朝鮮からも、「お前はお呼びでないよ」と言われたのだ。板門店では、米国と南北の3首脳が、写真撮影タイムだけ〝会同〟した。その後は、米朝首脳が「出会い」を楽しんだ。その45分間、文氏は「別室待機」の屈辱を味わった。

危険な仕掛けに出る恐れ

与党系新聞のハンギョレ(7月1日)は、「文大統領が〝お膳立て〟した板門店の『脚本のないドラマ』」との見出しの大嘘記事を書いて、政権を激励した。

そのためか、文氏はめげない。

7月2日の閣議で、「南北に続いて米朝も、事実上の敵対関係の終息と新しい平和時代の本格的な始まりを宣言したと言える」と力説した。

が、この発言はすぐに米高官により、〝基本認識がおかしい〟とばかりに批判された。

この閣議では、「同じ場所で南北米首脳の3者会談も行われた」とも述べた。写真撮影タイムから「別室待機」までの〝立ち話〟が「3者会談」だというのだ。

文氏は屈辱に泣き濡れていて、日本政府が7月1日、「フッ化ポリイミド、レジスト、フッ化水素の3品目の輸出管理強化」を発表したことの重大さに思いを巡らすことができなかったのだろうか。

文氏は8日の首席秘書官・補佐官会議で、「韓国企業に実際に被害が生じた場合、韓国政府としても必要な対応をしないわけにはいかない」と発言するまで、この問題について何も語らなかった。10日に30大財閥のトップを集めた会合でも、「必要な対応」の中身については語らなかった。

韓国紙は面白い言葉を考えてくれる。「無対応の対応」とか「戦略的沈黙」とか。

しかし、笑っていてはいけない。「外交王」は、追い詰められた状況を一変させる大技を仕組む可能性もある。

彼が師と仰ぐ故盧武鉉氏は、状況が行き詰まった時、韓国艦船による日本船舶への「故意衝突＝撃沈」を画策したとされる。レーダー照射事件は危険な予兆かもしれない。

18の常識

不買運動で困るのは韓国だけ

自意識過剰集団の被害妄想

日本政府の「対韓輸出管理強化」に抗議し、撤回を要求する手段として始まった韓国の「日本製品不買運動」は、これまでの不買運動とは違う。線香花火では終わらず持続しているが、次々に明らかになるのは〝お笑いの舞台裏〟だ。

表向きは格好良い。が、裏を見たら大笑い――本書で毎度のように述べてきた「韓国の常」だが、今回の不買運動もまた然《しか》りだ。

しかし、話はお笑いでは終わらない。対日不買運動が燃え盛るなかで、韓国の政権が打ち出した「国産化路線」は、結局のところ無駄な投資となり、韓国経済の没落に拍車を掛けるだろう。

韓国人が自意識過剰集団であることは世界的にも有名だ。

不買運動が始まって間もない頃、日本の海運大手がＬＮＧ輸送船を中国の造船所に発注するや、「韓国造船所を牽制《けんせい》するために協力する中・日」（朝鮮日報２０１９年８月13日）ときた。自意識過剰集団ならではの被害妄想だ。

今回の不買運動でも、自意識過剰集団ならではの言動があちらこちらに表れている。日本旅行に行かないことも、不買運動の1つだ。

18年に日本に来た韓国人は754万人。中国人に次いで多い。だから、韓国人が日本旅行に行かないようにすれば日本は音《ね》を上げるはずだ、と韓国人は考える。それで「日本旅行をやめよう」が対日不買運動の重要な柱になっているのだが、ここら辺の韓国人の考え方を示す面白い記事（韓国日報19年7月23日）があったので紹介しておこう。

――今回の日本参議院選挙では、韓国人が多く訪れた観光地で、自民党候補が大挙当選し、国内世論が沸き立っている。「韓国人観光客のおかげで食べてきたのに、韓国に対する貿易報復措置を断行した自民党を支持したというから、さらに懲《こ》らしめなければならない」。

――第二次世界大戦で原爆被害を受けた長崎と、11年の原発事故を経験した福島は、『戦争できる日本への改憲』を主張する与党勢力に反対すると思われたが、選挙の結果、与党勢力を支持したのは同じだった――。

記事は福岡、東京、京都、北海道、静岡など韓国人客の比率が高い都道府県の選挙結果を次々と示している。それを読むと、韓国人客と接する機会が多い地域ほど自民党が強いという〝法則〟でもあるのかと思えてくる。

次いで記事は、ネット上で賛同が多かった意見を紹介する。

「韓国人が観光で食べさせているすべての都市が自民党を選んだなんて、飢えてみてこそ悟ることになる」

「もう日本旅行に行ってはいけない理由が明らかになった。あんなところに旅行へ行くということは、敵に弾丸をプレゼントするようなものだ」

ネット書き込みだから、さまざまな意見が出ているが、ほぼ共通する根底の認識は〝日本経済に占める韓国人観光客の重み〟だ。

しかし、日本の国内総生産（ＧＮＰ）に占める観光産業全体の比重は５％弱に過ぎない。そのうち、外国人客は……。なかでも、最も金を使わないことが統計上も明らかになっている韓国人客がもたらす比重は……コンマ以下の数字であることは明らかだ。

「日本に効いている」との加害妄想

よほど特別な店を除いたら、日本人は誰も「韓国人客に食べさせてもらっている」とは考えてもいない。

ところが、日本に巣食う〝反日新聞〟は「観光客減や不買運動、影響深刻」（朝日新聞19年7月25日）などと報じている。

この記事は、韓国メディアのマネートゥデイ（19年8月12日）に引用された。マネートゥデイの記事の見出しは、「観光客減り売上高は半分に、日本経済10月危機説」。「日本旅行に行くな」と煽《あお》る韓国人が、「これは効いているぞ」と士気を高めたのは当然だろう。

韓国の航空会社、とりわけ格安航空（ＬＣＣ）各社は、日本に行く韓国人客の減少は当分続くと見て、赤字の累増を防ぐため、対日路線の減便や廃止を相次いで打ち出した。すると、日本の自治体が「路線維持を」と〝泣訴《きゅうそ》〟してきた。日本の国内法上の「国際空港資格」を維持したいのだろうが、これも韓国人からすれば「効いている証拠」だ。

自意識過剰集団はだいたいのところ被害妄想に陥《おちい》りやすいが、一條の光を見るや、たちまち〝加害妄想〟に転化するのかもしれない。

しかし、本当に悲鳴を上げているのは、韓国の旅行会社とＬＣＣだ。

ＬＣＣを利用すれば、ソウルから済州島《チエジユ》に行くよりも安く日本に行ける。済州島は「ボッタクリの島」だが、日本ならボッタクリを心配する必要もない。しかもコンビニ弁当が安くて、とても美味《おい》しい。冷麺が1万3000ウォンもするようになったソウルで休日を過ごすより、日本の民泊に行ったほうが安上がり——これが、韓国人が日本に来る大きな理由だ。

だから「日本の代わりにタイかハワイに行ったら」は通じない。

LCCはどこも経営が安定していない。対日路線の比重が6割超といったLCCもある。「韓国LCCが大再編」といったニュースも聞こえてきた。航空最大手の大韓航空も19年12月には希望退職の募集に踏み切った。

今度は線香花火型の不買運動ではない

韓国ではしょっちゅう、どこかで不買運動が行われてきた。

始まりパターンは、聞いたこともないメディアが「○○社は高収益を上げているのに、利益の社会還元はほとんど行わず……」といった記事を掲載して不買運動を煽る。ライバルメーカーの影がちらつくケースもあるが、このメディアへの広告出稿こそ「社会還元」になるのだろう。

日本系の企業でも、韓国ヤクルト、ユニクロ、岡本ゴムがしばしば標的にされてきた。が、どれも線香花火のように終わる不買運動だった。

個別の商品、特定の企業を相手にした運動ではなく、「日本製」を対象にした不買運動（正確には、商店の不売運動プラス消費者の不買運動）も01年、05年、08年、11年にあった。これらも成果なく短期間で霧散した。

13年2月には、零細小売業者60団体と職能組織80団体が連合して、日本製品の不売・不買運動を宣言した。参加者６００万人だ。

その名目は「独島《ドクト》（日本名・竹島）に対する侵略的行為の中止要求」。彼らの論理からすると、日本の外交白書や防衛白書が「竹島の領有権」について記述しただけで「侵略的行為」に当たる。

「侵略行為がなくなるまで続ける」との宣言からすれば、６００万人はあれからずっと不売・不買運動を継続中ということになる。

が、実態は宣言しただけ。続報もない。成果があったとする報道すら探しえない。

そうした過去の日本製品不買運動からすると、今回の不買運動は明らかに違う。すでに始まってから2カ月近い。スーパーやコンビニでの日本製ビールの売上高、日本車の販売台数、ユニクロの店舗への客の入りなどは明らかに落ちている。

今回の運動は、ネットでの呼びかけから始まった。おそらく情報当局（国家情報院＝旧KCIA）や、国軍サイバー司令部のなかにある「心理戦団」が活躍したのだろう。「心理戦団」とはネット工作を専門とする要員だ。

不買運動家はどこから収入を得ている?

文在寅《ムンジエイン》大統領が〝無対応の対応〟を決め込んでいた7月5日、中小商人自営業者総連合会と名乗る組織がソウルの日本大使館前で、日本の有名メーカーのロゴを張り付けた段ボール箱を踏みつけて「日本製品は売らない」と不売を宣言したことが事実上のスタートだった。

踏みつけシーンは韓国のテレビがニュースのたびに映像を流し、各紙の紙面を飾った。

韓国人は「格好良いシーン」と思うらしい。

中小商人自営業者総連合会の組織実態がどんなものかは分からない。ただ、代表者は文在寅氏の熱烈シンパとして知られた人物であり、小さなスーパーマーケットの経営者だ。

韓国の地上波テレビの内部は、昔から左派勢力が強い。いまは政権がガッチリと経営まで抑えているから、地上波テレビは左翼政権の広報部門そのものだ。

テレビは、日本の輸出管理強化をめぐる日韓政府間のやりとりを刺激的に伝えながら、不買運動を煽った。

政権ベッタリの新聞、ハンギョレも頑張った。「安倍政府は『日本製品不買運動』の拡散の意味を直視せよ」と題する社説（7月20日）では、不買運動参加者が拡大していく世論調査資料を列挙して、「安倍政府は一部の韓国紙の日本語版が伝える歪曲《わいきょく》された報道に惑わされず、韓国人の〝真の民心〟を重く受け止めなければならない」と書いた。

ここにある「一部の韓国紙の日本語版」とは、保守系紙の朝鮮日報のことだ。

韓国の政権サイドは、この不買運動に合わせて、保守系紙弾圧を企図していることが透けて見えてくる。

「日本＝絶対に悪い」→「日本製品不買運動＝絶対に正しい」を少し進めれば、「不買運動に消極的な保守＝絶対に悪い」→「保守系紙＝廃刊に追い込むべし」になる。この単細胞型思考を国民に刷り込む絶好の機会でもあるわけだ。

そして与党所属の自治体首長が、政権への忠誠心競争でもするかのように、反日不買運動を煽った。

文在寅氏の熱烈シンパが火をつけ、政権与党系のマスコミが煽り、首長まで乗り出してきてさらに煽る。

先導者も扇動者も政権与党系。つまり、今回の不買運動は文在寅政権の国策なのだ。韓国人の愛国者は、「とんでもない。これは下から盛り上がった自主的な国民運動だ」と目を吊り上げるだろう。

ならば、日本大使館前に座り込んだデモ隊が一斉に頭上に掲げるボードは誰の手配で作られたのか。その製作費はどこから出ているのか。スローガンを書き込んだお揃いのチョッキは誰が手配し、その製作費は誰が払ったのだろうか。

連日、不買運動のために走り回る運動家は、どこから所得を得ているのか。ユニクロで買い物をする客を追い回し、その顔をネットに晒《さら》す活動家は定職があるのだろうか。ないとしたら、どこから収入を得て食べているのだろうか。

ソウル西大門《ソデムン》区の区役所では、職員が庁内で使っている日本製事務用品を次々に大きなビニールケースに投げ込んだ。名付けて「日本製事務用品封印行事」。これも派手に報道された。

日本製がないと反日不能

ところが後日、庁内を歩いていた記者は、日本製の複写機やプリンターが使われている現場を見つけた。庁内全体では何十台もありそうだ。

「なぜだ」の問いに区庁側が答えたのは、「あれは高価な製品なので」(ニューデイリー・ニュース8月9日)。

日本製品なのかどうかを瞬時に教えてくれるサイトも立ち上げられた。その運営者のところに取材に行った記者は、パソコンに向かって仕事中の運営者の姿を撮影した。

その映像がネットに流れると、一騒動になった。「キーボードの部分を拡大して見たところ、明らかにプロ向けの日本製リアルフォースだ」とのネット告発が出たのだ。

運営者は「不買運動と捨てることは別だ」。

こんな調子なのだから、空の箱を踏みつけたグループも、きっと家では日本製品を大切に使っているのだろうと、私は想像してしまうのだ。

ソウル市中区《チュング》の区長は、「NO日本」と描かれた街頭用の垂れ幕1100枚を発注した。

とりあえず100枚の納品を受けて街路灯に取り付けたところ、商店街から強い反発が出た。中区は明洞《ミヨンドン》など日本人観光客が多いショッピング街を抱えている。「売り上げが落ちる」と言うのだ。

結局、数時間で取り外したのだが、ここで保守系のマイナーメディアが特ダネを飛ばした。

「あの垂れ幕を印刷した機械は日本製だ」と。

保守系サイト「イルベ」には、「反日報道をするテレビ局の取材クルーが抱えている放送用機材はみんな日本製だ」と追撃が出た。

こんなお笑いばかり出てくるのに、世論調査では「不買運動参加者」が8割近い。本当なのか。

韓国の世論調査とは、次々に電話をかけ、回答者が目標値（ほとんどは1000人）に達したところで打ち切る。大部分の世論調査は回答率4〜10％。回答を拒否した9割ほどの人々がどんな考えなのかは、まったく分からないのだ。

それでも政権と与党陣営が傘下のマスコミを動員して先導と扇動を続けるから、そして参加者たちは「効いているぞ」と思っているから、まだまだ続いていくと思う。

そうしたなかで韓国の政権は、対日輸入に依存している重要素材・部品百品目の国産化を図る方針を決めた。毎年1兆ウォン以上の開発補助金をばら撒《ま》くのだが、企業側の負担は何倍、いや何十倍になるかもしれない。5年後が目標だが、〝まがいもの〟ができたとして、それは輸出できるのか。国内需要に充《あ》てるだけなら、とてつもないコストになるだろう。

経済合理性に反するが、政権に巣食う左翼グループは〝不買運動成功〟の興奮のなかで、「日本からの供給が途絶える恐れがある」→「ならば国産化しなくてはならない」→「わが優秀な民族なら、国産化できないはずはない」としか考えない。

実験室で「できた」のと、商用化は全く別だが、韓国メディアは日本に依存している部品や素材について、「（実験室での）開発に成功」の記事を次々と掲載している。

それでだろうか、文在寅大統領は2020年の年明け早々、「日本による輸出規制措置に立ち向かい、主要な素材・部品・装備の国産化と輸入先の多角化を成し遂げた」とぶち上げた（「成し遂げる」ならまだ分かるが）。

さらに文氏は、失業対策事業による「つくられた雇用統計」の数字を取り上げて「雇用の顕著な回復」を宣言し、「われわれは昨年、内外のいくつかの困難を克服し、

『共に良い暮らしをする国』の基盤を築いた」と自画自賛した。

「脳内お花畑」と言うべきか、現状の誤認識は甚だしい。

左翼の大統領が指導する国家は、急テンポで経済を没落させながら、レッドチーム入りしていくのだろう。

あとがき

そうか、韓国人とは「反日種族」なのだと、つくづく思った。

韓国語サイトで、李栄薫《イヨンフン》ソウル大学名誉教授らによる労作『反日種族主義』の表紙写真を見た時だ。迷わず、そのネーミングだけ頂いた。

月刊『Hanada』の創刊号から連載している「隣国のかたち」のうち、第21回から第40回までを加筆・修正して取りまとめたのが本書だ。

その際、とりわけ日本とかかわる部分では「韓国人は……」としていた表記を「反日種族は……」に改めた。

韓国人の反日言動は少なくとも高麗《こうらい》時代には始まり、さまざまなファンタジーを取り入れながら、今日では韓国人のアイデンティティーにもなっている。

だから、歴史的な背景を感じさせる「反日種族」とは、現代韓国人の的確な代名詞だと思う。

本書に収録した18編（紙幅の関係で1編は割愛）のうち、早いものは執筆から2年が経っている。それにもかかわらず、読み直してみると、韓国の動きを予測した部分のほとんどは未来形「……だろう」を過去形「……となった」と書き換えるだけで済んだ。誇りとするところだ。

韓国では2020年4月に国会議員選挙がある。公表されている世論調査結果ではいまのところ、文在寅《ムンジエイン》与党が優勢だ。しかし、韓国の世論調査は正確性に疑問符が付く。回答率が10％前後であり、9割近くが回答拒否だからだ。

そうしたなかで文在寅政権は、18年春の統一地方選挙の際に見せた露骨な選挙干渉を上回る工作を、警察と公務員を総動員して展開するだろう。

それでも保守勢力が現有以上の議席を取れば、韓国の赤化にはある程度の歯止めがかかる。しかし、保守勢力が議席を取りすぎて、多数野党に浮上したら、政権は韓国版ゲシュタポ（高位公職者犯罪捜査処）と警察を使って、なりふり構わぬ保守弾圧を始めるのではないだろうか。

逆に、政権与党が多数を占めたなら、韓国赤化への道は、もはや止まらない。コウモリ外交をやめて、正式にレッドチーム入りする日が近づくということだ。

今日の韓国は、実質失業率が高くて、若者は容易に結婚も出産もできない。壮年層もリストラに怯《おび》えて老父母の面倒を見る余裕がない。こうした「ヘルコリア」（地獄の韓国）状況は保守政権の時代からそうだったが、文在寅政権になって一層悪化した。

それで、出生率が世界最低を記録し、自殺率がOECD加盟国で最高を記録しているわけだ。

そうしたなかで文在寅政権を支持する過激派労組と、公務員だけが「わが世の春」を謳《おう》歌《か》している。すでに「赤くて暗い社会」が始まっているのだ。

そんな状況なのに、反日種族が文在寅政権を支持して反日を続けると言うのであれば……日本政府にできることは、対朝鮮半島の防衛能力を強化し、韓国とのあらゆる交流を劇的に狭めるしかあるまい。

本書が、日本人の対韓情勢判断に役立つことを、いま一度願う。

令和2年1月　　　　室谷克実

室谷　克実（むろたに・かつみ）

1949年、東京生まれ。評論家。慶應義塾大学法学部を卒業後、時事通信社入社。政治部記者、ソウル特派員、宇都宮支局長、「時事解説」編集長を歴任。2009年に定年退社し、評論活動に入る。著書に『悪韓論』『韓国は裏切る』（新潮新書）、『韓国リスク　半島危機に日本を襲う隣の現実』（加藤達也との共著、産経新聞出版）、『韓国経済はクラッシュする　文在寅「反日あおり運転」の末路』（渡邉哲也との共著、悟空出版）、『2000年の歴史でひもとく日韓「気質」の違い』（宝島社）、『崩韓論』『なぜ日本人は韓国に嫌悪感を覚えるのか』（飛鳥新社）など多数。

反日種族の常識

2020年2月4日　第1刷発行

著　　者　室谷克実
発 行 者　土井尚道
発 行 所　株式会社　飛鳥新社
〒101-0003　東京都千代田区一ツ橋 2-4-3　光文恒産ビル
電話　03-3263-7770（営業）　03-3263-7773（編集）
http://www.asukashinsha.co.jp
装　　幀　芦澤泰偉
印刷・製本　中央精版印刷株式会社

ISBN 978-4-86410-746-4

編集担当　沼尻裕兵　工藤博海

飛鳥新社の好評既刊
月刊Hanada双書シリーズ

『ルトワックの日本改造論』
エドワード・ルトワック
奥山真司・訳

四六判・並製・216頁／1400円（税別）
ISBN 978-4-86410-728-0

『中国、日本侵攻のリアル 自衛隊元最高幹部の警告』
岩田清文

四六判・並製・200頁／1500円（税別）
ISBN 978-4-86410-739-6

『今こそ、韓国に謝ろう そして、「さらば」と言おう』文庫版
百田尚樹

文庫版・並製・288頁／694円（税別）
ISBN 978-4-86410-682-5

『続・マスコミ偽善者列伝 世論を煽り続ける人々』
加地伸行

四六判・並製・288頁／1389円（税別）
ISBN978-4-86410-664-1